パーソナリティを科学する

特性5因子であなたがわかる

ダニエル・ネトル 著　竹内和世 訳

PERSONALITY

What makes you the way you are

by Daniel Nettle

白揚社

目次

パーソナリティを科学する

人は人生のどの時点においても、それまでの自己と変わらず、
また、それからの自己とも変わることはない。

オスカー・ワイルド『獄中記』

はじめに　パーソナリティ研究のルネッサンス

人間の本性に対する見方が浅薄だといって、私を責めてはいけない。
ここで私は人間性の高さや深さに、いわば物差しを当てようとしているのだから。

フランシス・ゴールトン

リーは頭の切れる成功した実業家《エグゼクティブ》だ。三十五歳になろうといういま、出世への階段も順調に歩んでいる。仕事ぶりは優秀で精力的と評されている。たしかにそうに違いないが、実はそれだけではすまない。彼はまわりの馬鹿な連中に我慢できない。同僚や取引先の人間が自分より優位に立ちそうだと思うと、すぐさま相手に食ってかかる。猛烈に腹をたてて痛烈な皮肉をとばし、自分が相手のことをどう思っているか、遠慮会釈なく口にする。その結果、仕事はできるが、敵も作るということになる。いつも争いごとにはまりこみ、社内で孤立しては、結局は何回も会社をかわったり、部署をかわるはめになる。そうすると気のいい同僚たちが介入して争いを収めたり、彼が新しく作った敵とかかわらないですむようにいろいろと苦労するわけだ。

職場以外でも、リーが嫌っている人間はたくさんいる。彼はこれまでに何度も外国に行っているが、そのうち少なくともいくつかの国については、そこに暮らす人たちが嫌いだと公言してはばからない。いわく野蛮だ。いわく、のろまだ。いわく、個人空間《パーソナルスペース》に踏み込みすぎる……。外国だけではない。運転している車の前に割り込んだり、並んでいる列でのろのろ進んだり、ぐずぐずして自分を待たせる連中を彼は許せない。こうしたことが起こるとすぐにカッとなって、汚い言葉で相手を罵って何とも思わない。かといって、別に社交が嫌いなわけでもない。それどころか、パーティに行くのは大好きなのだ。だが、集まった人々が彼の基準からすれば「まずい」タイプだったり、あるいはまたパーティのやり方が「間違って」いたりすると、彼はたちまち退屈し、せっかくの夜を無駄にしたことに苛立ちを隠さない。たとえ「良い」パーティであっても、最後には自分と政治的立場や趣味が違うどこかのだれかと派手な口論を演じて終わるかもしれない。

リーにはわずかながら親しい友人がおり、今でもつきあいはつづいている。だが、そこでもトラブルがないわけではない。どの友人との間にも、言い争い、喧嘩、不機嫌、そして和解へとつづく長い歴史があるのだ。恋愛も同じである。必ずどこかしら考え方の違いが見つかったり、相手が情緒不安定だとか、しつこいとか、いずれにせよ自分にはふさわしくないことが判明するのだ。女性のほうも、リーがエゴイストだとか、思いやりがないとか言い出して、破局になる。そんなわけで、長期にわたってうまがあうパートナーは、まだ現れていないようだ。

リーと対照的なのがジュリアンである。彼は（現時点で）旅関係の雑誌に記事を書いている。仕事の性質上、彼は世界中を旅し、インドの宗教儀式やシベリア横断鉄道についての話を調べてまわる。旅は彼の現時点での情熱の対象である。ただしいつもそうだったわけではない。大学時代、彼は音楽を勉強し、卒業と同時に熱狂的なバンド活動に身を投じた。その演奏は、伝統的な中東音楽とモダンポップとの奇妙なコンビネーションだった。ジュリアンの熱意は仲間たちを巻き込み、数年の間、彼らのバンドは地域でかなりの成功をおさめた。もっとも、音楽業界で「かなりの成功」というのは、外から見えるほど華やかなものではない。それが意味するのは、せいぜい三〇人か五〇人くらいの観客の前でライブをたくさん行い、移動中のバンで眠り、不潔な赤の他人とアパートをシェアすることである。だが、そんなことは問題にならない。とにかく音楽がすべてなのだから。

バンドの生活に二年ほどはまったあと、ジュリアンは幻滅を感じはじめた。彼は落ち込み、ひきこもるようになった。当時、彼は同じバンドにいるレバノン人のバックシンガーと同棲していたが、彼女との生活もまたマンネリ化していた。すでに当初の歓びは感じられなくなっていた。彼は悩んだ。二人の関係はどこに行き着くのか。かつては信じられないほど興奮と刺激に満ちていたものが、ふいにその光を失い、今ではどこにも行き場のない踏み車《トレッドミル》に乗っているかのように感じられた。やがてジュリアンはバンドをやめ、女性とも別れて、今度は何を思ったか、ビジネスマーケティングの修士課程に編入した。友人たちは驚いた。ロック歌手のジュリアンが背広を着る？　何を言われても、ジュリアンは気にとめなかった。ビジネスというのはほんとうに面白い。その対象は人間である。人間がどのように交流するかを扱うのがビジネスだ。実際これはクリエイティブだ。新しい人間関係と、よりよい生き方をもたらすためのものなのだ。

言うまでもなく、これも長続きしなかった。卒業する頃になると、彼の熱意はすっかりさめていた。目の前に広がっているのはただ、このさき三〇年間、朝の九時から夕方五時までオフィスで働くという罠だけだった。このときには彼は本物のうつとなり、医者とカウンセラーの両方にかかった。医者からは抗うつ剤を処方してもらい、カウンセラーからはニューエイジ志向のサイコセラピーを受けた。そのあとしばらく、当時つきあっていたガールフレンドと一緒に、レイキ〔霊気：手で触れてエネルギーを送り込む治療法〕、サイコドラマ〔即興劇の手法による集団精神療法〕、インド式ヘッドマッサージをやって生計を立てた。二人は都会を離れ、田舎のだだっぴろい農家に住んで、つつましく、だが健康的に暮らした。外国旅行など、彼らには必要なかった。「生気あふれる健康的生活」というのが、二人の生き方だった。

この生活は三年つづいた。やがてパートナーとの間にひびが入り、やっていたセラピーにも幻滅を感じはじめた。そしていくつかの偶然の出会いを通じて、旅の雑誌に文章を書くチャンスを得たのだった。一年前から始めたこの仕事を、彼はひどく気に入っている。とびきり素敵なフランス人の恋人もいる。彼女は写真家である。旅すること、そして旅の記事を書くこと。これこそ自分がずっと目指してきたものなのだ。

リーとジュリアン。これほど違った人生を送っているにもかかわらず、この二人は同じ年齢の男性である。容易に想像できることだが、おそらく二人ともまあまあ普通の中流家庭の出身で、同じ程度の知能と学力をもち、おおむね似たような文化的期待や価値観にさらされて育ってきたはずだ。こんなふうに本質的に同じひとそろいの経験をして育った二人の人間が、少なくともリーとジュリアンくらいの違った人生をたどるというのは、私たちが常日頃から人間について知っていることからすれば、けっして不思議ではない。それにしても、彼らが生まれ育った当初の社会的環境がこれほど似ていたとすれば、その後の二人の人生がこれほど違ってきた理由は何であろうか。

　この問いに対して、心理学者でない人々は直感的にこう答えるだろう――二人の人生に異なる結果をもたらしたものは、彼らが個々にもっている異なるパーソナリティ、もしくは気質、もしくは性格である。それではパーソナリティとは何か。彼らはこう答えるだろう。パーソナリティとはその人の内部にあって、生まれつき備わっている変わることない何か《サムシング》であり、何らかの出来事の流れに直面したときのその人特有の選択、モチベーション、反応、そして障害に因果関係をもつものである。彼らはつづけて言う――パーソナリティが働いていることは、その人が遭遇する人生のさまざまな出来事のなかで、いわば主題の再現のようなことが起こることからわかる。たとえばリーの場合、職場では数年のうちにほとんどの同僚と敵対してしまうし、同じように汽車や飛行機の中でも、隣りにすわる人々に敵意を抱くのだ。そこに至るまでの時間もまったく違うし、たがいの関係で生じる利害にも大きな差があるけれども、彼のごく近くにいる他人は遅かれ早かれ彼が嫌がることをするという事実は、リーの人生を通じて一種のライトモチーフとして繰り返される（本人はライトモチーフなどとはけっして考えないだろう。彼は心理学者や心理学の本など、人を退屈させる以外の何ものでもないと見ているのだから）。

ジュリアンの人生にも同じように、いくつか繰り返されるパターンがある。フュージョン・ミュージック、サイコドラマ、自給自足の農場生活、旅行記事を書くこと――どれもふつうと違っており、またクリエイティブだ。しかもジュリアンは、まだ若くしてこれらすべてに惹きつけられたのである。そこにはまるで、つねに新しいやり方で世界を経験し、新しいやり方でその経験を表現しようという、不断の欲求があるかのようだ。ジュリアンの人生選択にはもう一つ、特徴的なパターンがある。彼は新しい領域を見つけると、すっかり夢中になって人を巻き込み、それに衝き動かされていく。このことは、彼が新しいプロジェクトを立ち上げるときには、きわめて役に立つ。立ち上げてからしばらくの間は、ひたすらそれに熱中し、その難点も限界も耳に入らない。だが、時とともにこれらの感情は色褪せる。当初の熱中にかわって、疑惑と将来についての悩みが彼を襲う。あふれんばかりのエネルギーにもかかわらず、彼は不安と悲しみに打ちひしがれる人でもあるのだ。

ジュリアンの仕事のキャリアに一貫して流れるパターンは、恋愛関係においても顕著である。彼の場合、関係はおおむね二年か三年つづく。当初の激しい情熱の時期から(その間はどんなに家族が穏やかに諭し、それがいかに愚かで、浅はかで、無理があるか悟らせようとしても無駄である。夢中になっている本人からすれば、そんな忠告はひたすらばかげていて、表面的で、何もわかっていない連中の戯言《たわごと》でしかない)、惨めさや不安感がつのる段階を経て、引きこもりへと移っていく。この時期、ついにあきらめた家族が彼の選んだ恋人を受け入れようとすると、今度は逆に恨まれてしまう（「なんでみんな、ぼくには彼女なんか必要でないことがわからないんだろう？」――間違っているのはいつも親のほうなのだ）。このあと、いくぶん興奮に満ちた適応と立ち直りの時期がつづき、そのうちにつぎの情熱の対象が現れてくる。

当初の熱中とそれにつづく引きこもりと拒絶というこのライトモチーフは、他のレベルでも認められるだろうか。そう、私には想像できる。彼の家には本屋から持って帰ってまだ読んでいない本が何十冊も置いてあることだろう。「ニーチェは最高だ。彼の本は全部読むつもりなんだ」――興奮しながら言っている彼の姿が見えるようだ。本だけではない。とつぜんの高揚《ハイ》に駆られて買い込み、二度だけ使ったパン焼き機、一回だけ弾いたヴァイオリン、それにフルサイズの織り機（！）。これらはすべて、ふいに訪れた熱中状態と、なにか変わったことを始めようという欲望、そしてその後はそれをつづけていくほど充分満足が得られなかったり、あるいは意欲をそぐネガティブな感情の泥沼に落ち込んだりしたことを示す記念品なのだ。これは恋人との関係や仕事に見られるのと同じパターンで、ただ規模が違うだけなのだ。

違った規模で、同じパターンが現れるというのは、きわめて興味深い性質である。それはたとえば、フラクタルと呼ばれるあの優美な形状のもつ性質でもある。複雑性理論の学者や、グラフィックデザイナーが愛してやまないあのフラクタルだ。フラクタルの場合、きわめて大きなセクションを見ても、きわめて小さなセクションに注目しても、同じパターンが現れる。部分が全体を表し、またその逆でもある。フラクタルがこの性質をもつのは、それらを生成する数学関数の特質による。

人間のパーソナリティもいくぶんフラクタルに似ている。別に人生における主要なストーリーのことだけ言っているのではない。恋愛、キャリア、友情――こうした人生の大きな局面で私たちがとる行動は、時を経ても一貫している傾向があり、しばしば同じ種類の成功や失敗を繰り返すのは確かである。だが、それだけではない。買い物をしたり、身支度をしたり、電車内で見ず知らずの人に話しかけたり、家の中を装飾したりといったちょっとした交流場面での行動が、人生全体から見えるものと同じタイプのパターンを見せているのだ。私たちはよくこんなふうに言う――「それっていかにもボブらしいね……。」こういうことが言えるのは、それまでのさまざまな状況のなかで私たちが観察してきたボブの行動が、今後の状況――まったく違う状況をも含めて――で彼がとるはずの行動を予測する合理的なガイドになるからなのだ。フラクタルの自己相似特性が、それを定義する数学関数によって生成されるのと同じように、パーソナリティのもつ自己相似の性質もまた、人間の神経システムのもつ何らかの物理的特質によって生成されているように思われる。言い方を換えれば、私たちはこんなふうに感じているのだ――だれかのパーソナリティについて語ることはすなわち、その人物の神経システムがどのように配線されているかを語る手っ取り早い方法である、と。*

本書はパーソナリティの心理学について考察するものである。このなかで私は、人間には永続的なパーソナリティ傾向があることを証明するつもりだ。それらのパーソナリティ傾向は神経システムの配線のされ方に由来するものであり、さまざまな状況でどのように行動するかをある程度まで予測するものである。本書ではまた、パーソナリティ研究の基となる科学を紹介していく――どのようにパーソナリティを計測するか、計測とは何を意味するのか、それは何を予測するのか。そもそもなぜ、個人間にパーソナリティの違いがあるのか。最近までパーソナリティ心理学は、心理学の他の分野にくらべて、どちらかというと低いステータスに甘んじていた。科学的裏づけはおそまつなうえ、内部ではさまざまに議論が分かれ、「ハード・サイエンス」としての心理学の最先端からはるかに遠いところに位置づけられていたのである。かつては、こうした見方もいくらかは正しかったかもしれない。だが、状況は変わった。現在、パーソナリティ研究においてはルネッサンスが進行中である。私の願いは、この本がそのルネッサンスを世に知らしめるさきがけとなることである。

なぜ、今がルネッサンスにとって理想の時なのか。それにはいくつかの理由がある。第一に、今

＊人々の行動の原因を、状況の偶然の出来事にではなく、彼らの内的な特徴に求めるというのは、私たちが自然にもっている傾向だが、これはいくぶん奇妙なことに、心理学においては「基本的帰属錯誤」として知られている。私がこれを奇妙だと言うのは、それを「錯誤」だとするための客観的な理由がないからである（Andrews, P., The psychology of social chess and the evolution of attribution mechanisms: Explaining the fundamental attribution error. *Evolution and Human Behavior*, 22: 11-29）。他の条件が同じであれば、ある状況における行動が、他の状況においてその人がどういう行動をしようとするかを表すと仮定するのは、経験則としておそらくかなり順当である。

ようやく私たちは、使用に耐えるパーソナリティ概念のセットをもつに至った。しっかりした科学的根拠に基づき、われわれ心理学者たちが同意できる概念セット――パーソナリティの五因子モデル、もしくはビッグファイブと呼ばれるものがそれである。五因子モデルはここ数十年にわたる研究のうねりの中から現れてきたもので、人間のパーソナリティを論じるための枠組みとして、これまで現れたもののうち、最も総合的で、最も信頼性をもち、また最も役に立つものと思われる（第1章）。このパーソナリティ・モデルの基本となる考えは、パーソナリティには五つの主要次元があり、すべての人間の性格はそれぞれの次元に沿ってさまざまに異なるというものである。すべての個人について、五つの次元にそれぞれ対応する五つのスコアを出すことができる。そしてそのスコアからは、その人物が一生を通じて見せる行動傾向について、きわめて多くのことが見てとれるのである。

パーソナリティ研究にとって、五因子モデルの出現はまことに役に立つものであった。この分野では、これまで長い間、さまざまな研究者がさまざまに異なる概念を使って研究しており、それが大きな弱みとなっていたのである。以前なら、ある心理学者はあなたのパーソナリティ評定として、報酬依存と損害回避の傾向に大きなスコアを与えたかもしれないし、別の心理学者は思考タイプ、感情タイプ、感覚タイプ、あるいは直感タイプに分類したかもしれない。この結果、おびただしい数の研究がたがいに系統的関連性をまったくもたないまま、それぞれ違ったパーソナリティ概念をばらばらに測定するという苛立たしい状態がつづいた。このすべてが、パーソナリティ研究分野を科学活動としての低いステータスにいよいよ甘んじさせたのだった。すでに一九五八年には、ゴードン・オールポート〔1897-1967 米国の社会心理学者〕がこの状況について苦言を呈し、「どの査定者もお気に入りのユニットをもち、診断のためのお気に入りのテストバッテリーを使っている」と述べているが、事態はその後何十年もますます悪くなるいっぽうだった。

こうした混乱に、ある秩序をもたらしたのがこの五因子モデルであった。これまでの構成概念が無価値だったと言っているのではない。そうではなく、以前に使われていた構成概念のほとんどが、事実上、五因子の枠組みのもとに含まれてしまうということなのである。それが五因子のうちの一つであれ、その下位特性の一つであれ、二つの因子を一つにまとめたものであれ、いずれにせよそのほとんどは、新しい五因子構成のなかに組み込むことができた。これがじつに役に立ったというのは、その結果として五因子モデルがパーソナリティ心理学研究分野での混乱をおさめ、人と人の主要な違いを理解し特徴づけるための軽便な枠組みを提供したからである。パーソナリティ心理学の分野で大きな影響力をもつポール・コスタとロバート・マクレーによれば、五因子モデルは、パーソナリティ研究の個々の成果がすべて飾りつけられる「クリスマスツリー」だという。この本のなかでも、五つの因子は私のクリスマスツリーとなっている。ビッグファイブのそれぞれが、各章のテーマなのである（第3章から第7章まで）。

パーソナリティ研究のルネッサンスが、今まさに花開こうとしている理由は、もう一つある。近年の神経科学の驚異的な進歩がそれだ。ことに陽電子放射断層撮影法（PET）や機能的磁気共鳴映像法（fMRI）などの脳画像診断《ブレイン・イメージング》テクニックがそれを後押ししている。これについては、このあとしばしば触れることになろう。これらのテクニックによって、生きたまま、目覚めたまま、そして考えている状態のままの人間の脳の構造と機能を、非侵襲的に、つまり外科的処置なしに見ることが可能となった。人々はこれらの新しいテクノロジーを使った研究に殺到した。最初の波は、脳の働き一般を探ろうというものだった。脳のどの領域がどの機能とつねに結びついているのか、という問題である。だが第二の局面は、個人間の違い《バリエーション》に関わるものとなった。（通常の）集団内において、人によって脳の構造の相対的なサイズは異なる。そしてまた、脳が特定の仕事に反応する場合の代謝活動にも、個人間できわめて大きな違いがある。このような個人間での脳の構造と機能の違いから、いまや新しい科学が出現しつつある。そしてこの新しい科学の研究成果は、そのままビッグファイブのパーソナリティ次元にぴったりはめこむことができるのである。

　パーソナリティへの関心におけるルネッサンスをもたらした第三の領域は、人間の遺伝学とゲノム学である。ヒトゲノムの配列は二〇〇一年に完成された。脳画像化の場合と同じように、最初の関心は個人ではなく、人間一般を理解することに向けられた。それゆえヒトゲノム計画の最初の目標は、私たちすべてが分かちもっている二万五〇〇〇～三万の遺伝子の共通の構造を決定することだった。これはおよそ二〇〇人のDNAの「コンセンサス（共通）」配列に基づく。すでにコンセンサス配列は公表されており、今や遺伝子の個体性への関心が強まっている。それらの二万五〇〇〇～三万の遺伝子の多くにはいくらかのわずかな違いが存在する。病気へのかかりやすさだとか、特定の薬品への反応、特定のタイプの心理的問題への弱さなど、その他さまざまな点で、個人間で甚だしい差があるのはよく知られている。そしていま、人によって違うこれらの傾向が、それぞれがもっていると考えられる遺伝子変異体に関連しているらしいことがわかってきた。私たちはみな自分の血液型を知っているが、あまり遠くない将来には、自分のゲノムの配列を知って、乳がんや心臓病にかかりやすいかどうか、ある種の薬剤に敏感かどうかがわかるようになるだろう。遺伝子の個体性についてのこの新しい科学もまた、パーソナリティと結びつく。あとで述べるように、人のパーソナリティは、その人がどんな遺伝子変異体をもっているかによって、なかば決定されるからだ。

なぜ今がパーソナリティ・ルネッサンスに理想的な時期なのか、これまで三つの理由を見てきたが、最後にもう一つ、進化論的考え方の広まりが挙げられる。進化論的思考とは、集団がどのように自然淘汰を通じて今の状態に至ったかという根源的な問いとともに、直接的にはどの遺伝子が、あるいは脳のどの部分が関わっているのかを問う考え方である。進化論的思考は、心理学の分野で大きな広がりを見せており、心理学のさまざまな領域に新たな深さと説明力をもたらしている。さきに述べたさまざまな新しい科学の分野と同じように、進化心理学においても、当初の関心は私たち全員が共有する心のメカニズムのデザインを理解することにあった。したがって、個人による違いにはたいして関心は寄せられなかったのである。だが、ここでも状況は変わりつつある。私たちはみな、人間以外の種においても個体間の気質には違いがあることを知っている。進化論的視点でこれを見ると、いくつかの重要な質問が浮かび上がる。なぜそこに差異があるのか。自然淘汰は究極的にそれを排除するのか、あるいは結果としてそれを増大させる方向へ導くのか。どんな環境のもとで、自然淘汰は集団内部でその個体差が存続するのを許すのか。これからパーソナリティ特性について考えていく道筋のなかで、これらの問いは繰り返し立ち現れることだろう。

本書は、心理学の研究者のみを対象としたものではない。私はこれを、関心のある一般読者に向けて書いた。このため、研究論文につきものの学術的な詳細や出典は最小限にとどめている。このように一般読者にとっての読みやすさを心がけながらも、内容は批判の目を忘れてはいないつもりである。この本のなかで私は、現時点でわかっていることをしっかりした科学的根拠に基づいて書き、私が知っていることと、今の時点では推測でしかないことを、公平な立場で区別するように努めた。考察はいくつかの要素に基づいて展開されている。第一の柱は、多くのすぐれた学者たちによる研究文献であり、第二の柱は私自身が行った最近のパーソナリティ研究、そして第三の柱は、世界中に広がる私の通信者《コレスポンダント》が書き送ってくれた驚くべきライフ・ストーリーである。全員、私の研究に被験者として参加してくれた人たちで、したがって彼らの五因子パーソナリティ・データは手元にある。私の求めに応じて、彼らは自分の人生について、感情について、そして他者との関係について——しばしば詳細にわたって——啓発的な文章に綴ってくれた（これらのストーリーを引用することで状況がむしろややこしくなるという苦労はあったけれども）。ストーリーを引用するにあたっては、匿名性を確保するために細部を変えている（リーとジュリアンのケースはこれに当たらない。彼らのストーリーはフィクションである。あとはすべて実際のライフ・ストーリーである）。

このように実在の人々にライフ・ストーリーを書いてもらい、それを本書のなかに引用した理由は、ほとんどの読者は理論のためのパーソナリティ理論よりも、人間を理解することのほうに関心があると思われるからだ。とりわけこの本を読んでいる読者ならば、きっと自分のパーソナリティを知り、理解したいと思っていることだろう。そのため巻末には「ニューカッスル・パーソナリティ評定尺度表」を載せてある。読者には、読み進める前にまず、そこで自分のスコアを出すことをお勧めする。読んでからでは、答が何を意味するのかわかってしまうからだ。この尺度表で出た自分のスコアを手元において、これからの各章、とくにビッグファイブを一つずつ説明している第3章から第7章を読んでほしい。だがその前に、避けて通れない段階として、二つの予備的な問題を探らなければならない。一つは「パーソナリティ特性とは何か」であり（第1章）、あと一つは、「なぜ進化は、同じ種の個体間に生物学的な多様性が持続するのを許すのか」（第2章）という問いかけである。

1　性格の問題――パーソナリティ特性とは何か

パーソナリティというのは具体的な何《サムシング》かであり、実際に具体的な何《サムシング》かをする……特定の行為の背後に、そして個人の内部に存在するもの、それがパーソナリティである。
ゴードン・オールポート

本来ならまず最初に、ヒポクラテスとその四つの体液理論や、他の古代のパーソナリティ類型概念に触れるのが、パーソナリティの本としては常套的なやり方かもしれない。だが、私が最初に紹介したいと思うのは、一八八四年に「フォートナイトリ・レヴュー」誌でフランシス・ゴールトン卿が発表した「性格の測定」と題する論文である。ゴールトンを最初に持ってきたのには、いくつかの理由がある。チャールズ・ダーウィンの従兄にあたるゴールトンは、進化論と、進化論が人間に適用されるという見解への初期の擁護者の一人だった。彼の考えや姿勢には社会というものへのヴィクトリア時代の偏見がしみこんでいるから、現代の私たちから見て適切とは言い難い。だが、私たちが人間のあらゆる行動について考えるとき、究極的に考え方の本質をなすものは自然淘汰の理論だという、彼の基本的な直観は間違っていなかった。

ゴールトンに注目した理由はそれだけではない。家族の中での特徴の伝わり方についての研究、とくに双子の研究こそ、遺伝＝生まれ《ネイチャー》と環境＝育ち《ナーチャー》が人間の多様性に与える効果を解き明かす鍵であることを、最初に認識したのがゴールトンだったからである。行動遺伝学として知られる一つの科学分野全体の背景には、まさにこの洞察がある。この科学はゴールトン以来、急速に発達を遂げ、大きな成果を挙げてきた。それについてはのちに触れることになる。

最後にもう一つ、ゴールトンに注目する理由は、彼が測定についてきわめて現代的な関心をもっていたことである。ゴールトンは、曖昧でとらえがたい行動を測るための現実的な測定法を見出すことに熱中した。一八八五年、彼は「ネイチャー」誌に、「落ち着きのなさの測定法」と題する論文を発表した。このなかで彼は、長期にわたる観察から得た結論を紹介している。講演のような大きな集まりにおいて、聴衆は一分につき平均一回身動きする。講演者が聴衆の注意をひき始めると、その段階でこの率は半分ほどに減少し、同時に身動きする様子も変化する。動きの時間は短くなり（関心をもった聴衆はすぐに体を動かすのをやめる。退屈していると動きが長びく）、そして上体の振れの角度（船乗り用語でヨー〔船首を左右に振ること〕）もまた減少する。したがってどの時点においても、聴衆がどれほど退屈しているかを手っ取り早く知るには、まっすぐな姿勢からどれほど身体が傾いているかが指標となるだろう。ゴールトンはこれを、「何らかの回顧録を読むようなときに、聞き手の退屈度を数値に表す」ための有望な手段になりうるとして、読者に推薦している。

一風変わってはいるものの、この論文はきわめて現代的である。ゴールトン以前にも多くの哲学者が、人間の特性について思いめぐらしてきた。だがその特性も、測定できなければ何一つ（少なくとも科学的には）意味をなさないことに気づいた人は、ほとんどいなかった。科学としての心理学の仕事の大部分は、すぐれた測定を考え出すことと、その測定の優秀さを示すことの二つの柱からなっている。事実、「学問として尊敬される」心理学をそれ以外の心理学から区別するのは、この測定への関心なのだ。ゴールトンは売春婦と貴族の体重、反応速度、頭のサイズ、指紋の形態、そのほか多くの特徴を計測している。ゴールトンが人格理論に対して行った特別な貢献は、パーソナリティがどのように測定されうるかをはじめて考え、それを科学的に研究できる領域に持ちこんだことであった。

一八八四年の論文で、ゴールトンはパーソナリティ測定の一般的な意義に注目し、いくつかの提案を行っている。一つは、自然言語を調べることである。彼は類義語集《シソーラス》を使い、英語には人々の性格を描写するのに少なくとも一〇〇〇の用語があること、ただしそれらの多くは類義語や反意語なので、かなりの重複が含まれていると推計した。ゴールトンのこのちょっとした観察がきっかけとなって、今で言うパーソナリティの語彙的研究の始まりとなった。これは、人々がどう違うかを理解するための土台として、言語に見られる一連の記述的用語を分析するものである。その前提には、自然言語の語義が、世界に存在する重要な違いを反映する形で発達してきたという考えがある。語彙研究について、ここではこれ以上触れるつもりはないが、強調しておきたいのは、これがとりわけ五因子モデルの発達にとってきわめて重要な意味をもってきたということだ。

ゴールトンはまた、情動反応性の相対的レベルが個人によって特徴的に違っていると考え（この概念もまたある有用性をもつに至っている）、あろうことか人々に即興の小さな情動テストをさせ、彼らがどのように反応するか見れば、性格の指標《インデックス》が得られると提案した。反応の大きさは、一般に情動がどれほど引き起こされやすいかを予測する。現実生活で人々が直面することになる大きな試練を考えるとき、予測値としてこれはきわめて有益となるはずだ。測定は簡単だと、ゴールトンは（いかにも彼らしく）強気に言う。「秘密の協力者として二、三人の実験者に熱意と思慮分別とをもってやらせるならば、たちまちにして豊富な行動統計が集められるだろうと、確信するものである。」もちろんその通りであろう。ただし研究倫理委員会が喜ぶかどうかは、疑問だが。

最後にゴールトンは、これらの反応を生理学とリンクさせることが望ましいと指摘する。もしある人が他の人よりも情動を喚起されやすいとすれば、心拍数をはじめ何らかの生理的要因の変化が見えてくるはずだ。ゴールトンがこれを書いた一八八四年当時は、実際にそれをするには技術的限界があったものの、これまたきわめて現代的な考えであり、パーソナリティ構成概念をその基礎をなす神経生物学的メカニズムにリンクするという、現代の関心のさきがけとなっている。こうしてゴールトンは、少なくとも原則においては、現代のパーソナリティ心理学の方法論の多くをすでに心に描いていた。彼の記述から抜けているものは、評定《レーティング》である。実はこれこそが、今日のパーソナリティ・データの最も一般的なソースなのだ。現代の心理学研究の基礎をなすものは、人々が自分のパーソナリティもしくは（ケースは少ないが）他者のパーソナリティに対する自己申告による評定である。この種のデータは最も手早く簡単に集められるものだったから、それが実に信頼できるとわかったことは、パーソナリティ心理学にとってうれしい展開だった。

パーソナリティに関する系統だった経験的研究が始まったのは、ゴールトンののち数十年たってからのことである。だが本書の目的は、パーソナリティ心理学の歴史を述べることではない。ここではただ、パーソナリティ心理学の中心的概念が特性（trait）であることを述べるだけで十分だろう。特性とはひとつの連続体であり、その連続体のどこに位置するかは人によって異なる。たとえば、神経質という性質は特性と見ていいだろう。反応の速さと言ってもいいかもしれない（このとき気をつけなくてはならないのは、特性そのものと、その特性の一つの極の両方に、しばしば同じ呼称が使われることである。神経質傾向という特性は、「まったく神経質でない」から、「往々にしてひどく神経質である」までの連続体を意味する。同じように外向性という特性も、「まったく外向的ではない」から、「極度に外向的である」までの連続体である）。*

私たちは直接、特性を見ることはできない。そのかわり、人の特性レベルを彼らの行動を通して

＊特性という概念は、ゴードン・オールポートが一九三七年に出したきわめて重要な著書である *Personality: A Psychological Interpretation* のなかで明確化され、それ以来ほぼ変えられていない。本書において私はパーソナリティ心理学という言葉を、いくぶん部分的な意味で使っている。私がパーソナリティ心理学について語るときに意味しているのは、パーソナリティ特性心理学である。パーソナリティ研究のなかには他に、特性よりも、パーソナリティのプロセスや、人格の総括的な働きのほうに大きな関心を向ける伝統がある。本書のなかでは非特性アプローチは考えていない。もっとも最終的には、それらが特性心理学の何らかのバージョンと統合されうることは明らかだと思われる。

推し量る。四六時中神経質な人はいないが、ある人は他の人より神経質になる頻度が高いかもしれないし、より多くの状況で神経質になるかもしれない。この神経質への傾向が特性であるためには、それが長期間にわたってかなり首尾一貫している必要がある（ちなみにビッグファイブとは特性である。人々がこれを、五特性モデル（five trait model）ではなく五因子モデル（five factor model）と呼んでいるのは、F-Fの頭韻があって呼びやすいからであろう）。

特性は連続的である。それは身長のようなものだ。梨に対する林檎といった独立した別個のものではない。独立した性格「類型《タイプ》」があるという考えは、いくらかの方面では相変わらず人気があるが、これに根拠はない。特性の構造はだれであっても同じであり、レベルだけが違うのである。だれもがパーソナリティの五要素すべてをもっている――だれにでも身長と体重があるように。私があなたと違うのは、身長と体重の大きさであり、五つの特性次元のそれぞれに沿ったスコアなのだ。

パーソナリティ特性という概念は、神経生物学的な根拠から導き出されたものではない。だが多くのパーソナリティ心理学者は、それが将来神経生物学的事実になることを確信している。今はおびただしい行動からの推論によって特性を定義しているが、いずれ神経システムの活動が完全に明らかになれば事態は違ってくる。「ボブは神経質傾向が高い」と言うことは、最終的に彼の脳の構造について述べることになるのだ。それゆえパーソナリティ特性の記述は必然的に、人々の間の神経生物学的な違い――そしておそらく遺伝的な違いさえ――を、予測することになろう。これが現代のパーソナリティ心理学の主要な確信となっている。

それではまず、どのようにしてパーソナリティ特性の検出と解釈がなされるのかを調べることにしよう。使用するデータは私自身の最近の研究から流用する。この調査では、年齢も経歴もさまざまなイギリスの成人545人を選び、自己についてのさまざまな質問に対して、1から5までの尺度《スケール》に基づいて答えてもらった。

質問のひとつはこうである——

社交にどれだけ時間を費やしますか？

また別の質問はこういうものだ——

旅行することがどのくらい好きですか？

どれだけの時間を社交に費やすかについて、人々が行う自己評定と、どのくらい旅行をするのが好きかについての評定との相関は、0・20である。ところで相関係数（r）とは、ある数量が変動するときに他の何らかの数量も変動する場合、その変動の度合いを示す指標である。相関係数が1ということは、第一の数量が第二の数量の変動の仕方を完全に予測することを意味する。相関係数が0ということは、ひとつの数量が変化するとき、それは他の数量について何の情報も与えないことを意味する。人間の身長と体重の相関係数は、およそ0・68である。この数字が意味するのは、もしある人が極端に背が高ければ、おそらく体重も比較的多いだろうし、ひどく小柄であれば、おそらく体重も少ないだろうということだ。この場合、相関係数は1にはならない。というのは、身長と体重は完全にはおたがいを予測しあわないからである。身長が同じ二人の人間でも、体重が相当に違うことはありうるからだ。それでも相関はゼロより有意に大きい。これが意味するのは、だれかの体重を推測しなくてはならないとき、その人の身長を知っていれば、知らない場合よりは有利だということである。

私のデータによると、旅行を好むことと、社交に時間を費やすこととの相関は、身長と体重間の相関よりははるかに低いが、それでもゼロよりは有意に大きい。これは興味深い結果である。この二つの間には、ほとんど論理的つながりはないからだ。ひとりで旅をするのは大好きだが、人とつきあうのは嫌いということもありうる。だが、その545人の間では、この傾向は一般的ではなかった。質問には、どれほど競争心が強いかを自己評定するものもあった。それによると、競争心と旅好きの間の相関は0・12であり、競争心と社交時間の間の相関は0・11だった。いずれも控えめな数字だが、ゼロよりは有意に大きい。これはまた面白くなってくる。競争心が強い人々は、いつもせき立てられるような日々を送っているから、旅をしたり社交したりする時間がなさそうに思えるが、データが示すのはそうではない。社交や旅が好きな人々はまた、競争心も旺盛なのである（もちろん、多くの個人差はあるが、平均として）。

つぎに、セックスにどれだけ関心があるかについての質問がある。ここで、これまでの相関係数を表にまとめてみよう［表1］。セックスへの関心は、控えめではあるが他の三つすべてに対し、有意に相関している。

平均して、旅行好きな人はそれほど旅行好きでない人にくらべて、競争心、セックスへの興味、社交に割く時間のいずれにおいても、少しずつ上回っている。このことは、データに一定量の重複する部分、すなわち冗長性《リダンダンシー》があることからも示される。最初に、ある人物がセックスにひどく関心があることを知っていれば、あとからその人が遊びにも生き方にも精力的で、外国での休暇を好むようなタイプだとわかったとしても、たいして驚かないだろう。人がセックスについて見せる姿勢は、その人の他の属性についても情報をもたらす。けっして完全とは言えないが、それでも何らかの情報であることはたしかである。

	社交	旅行	競争心	セックスへの関心
社交	1	0.20	0.11	0.25
旅行		1	0.12	0.16
競争心			1	0.18
セックスへの関心				1

表1 イギリスの成人545人による4つの評定変数間の相関。いずれも0より大。

つぎにもっと多くの変数を入れてみよう。この545人に対しての質問にはまた、「落ち込んだり「憂うつ」になったときに、プロの助けなり個人的な助けなりを求めたことがあるかという項目があった。さらに別の項目では、不安を感じたり心配だったりしたときに、助けを求めたことがあるかを尋ねている。落ち込んだときに助けを求めることと、不安を感じたときに助けを求めることとの間には、プラスの相関が見られた（r＝0・46）。これが意味するのは、不安のために真剣に助けを求めたことのある人は、落ち込んだときにも真剣に助けを求める傾向が平均以上にあるということである。不安とうつ、この二つは同一人物に起こりやすい。

これ自体はたいして驚くべきことではないだろう。だがもっと興味深いのは、この二つと、すでに紹介してきた変数との関係である。仮説はどちらにでも立てられるかもしれない。海外に出かけ、熱心に社交をし、精力的に自分を駆り立て、波乱の多い生活を送っている人々は、うつや燃えつき症候群のリスクにさらされることになる。したがって後で挙げた二つの変数と、前に挙げた競争や旅行などの変数との間にはプラスの相関があるという予想がひとつ。これと反対に、旅行や社交に熱心な人々は、明らかに快活で立ち直りの早いタイプだから、それらの行動と、うつや不安との間にはネガティブな相関があるはずだという予想も可能だ。ネガティブな相関というのは、旅行と社交の変数についてのスコアが高ければ高いほど、うつと不安の変数についてのスコアは低くなるということである。これは相関係数がゼロ以下で、マイナス1（完全にネガティブな相関）までのどこかにあることを意味する。

実際には、うつの変数と、旅行、競争、社交、またはセックスへの関心との間の相関は、どれもほとんどゼロと変わらないのである。同じことが不安の変数についても言える。したがって、だれかがうつや不安になりやすいかどうかを知るのに、その人物が旅行好きか、セックスに大きな関心があるかを知っていることなど、まったく役に立たない。人々をうつや不安になりやすくさせるものが何であれ、ある人を他の人よりも競争心が強くしたり、セックス好きにならせるものとはまったく関係がないのだ。

この種の作業で問題になってくるのは、考慮したい変数の数がふえればふえるほど、計算しなくてはならない相関係数の数が幾何級数的に上昇することである。二つの変数によって一つの相関を計算する必要がある。三つの変数で三つの相関を計算する。四つの変数で六つの相関、五つの変数で一〇の相関、一〇の変数では四六の相関となる。こうした単調で長ったらしい作業は、データからパターンを把握するのをますます困難にしてしまう。ここに因子分析の出番がある。パーソナリティ研究で多く使われているテクニックである。

因子分析は、このようなデータに含まれる多くの冗長性《リダンダンシー》を取り除く方法である。すでに見てきたように、旅行、競争、社交、セックスへの関心という四つの変数のそれぞれは、他の三つについても何らかの情報を与えているため、各人についてこの四つの数値を全部示すのは、部分的に冗長となる。データの主要な傾向を見たいならば、これら四つを組み込んだ単一の変数を計算すればよい。この新しい複合変数の数値が高ければ、その人物がきわめて競争心が強く、セックスに大きな関心があり、旅行が大好きで、社交に多くの時間を費やすことを示す手っ取り早い指標となる。第二の複合変数は、うつや不安への陥りやすさを教えてくれるものだ。この二つはたがいに重複しているからである。こうなると、各人について必要な情報は二つだけ——複合変数1のスコアと、複合変数2のスコア——であり、ここからもっと詳細な領域における傾向を想像することができるのである。むろん、個人に特有の傾向については、多くの情報が失われる。どの相関も1よりずっと小さいからだ。それでも、データの整理と単純化によって得るところは大きい。

因子分析の本質は以上述べたとおりである。ここではこれ以上、因子分析の手法にまで立ち入るつもりはない。ただ、因子分析とは、関連するすべての変数の相関係数に基づいた統計的テクニックであり、現代のコンピューター画面で一秒足らずでなされうると言うにとどめよう。いまここで、因子分析の単純な方式を前述のデータに適用してみると、そこから二つの複合変数——因子——が引き出される。ただし、つねに因子数が二つであるとは限らない。現実にデータに冗長性がなければ、変数の数だけ因子がありうるのだ。ただ、今回の注意深く選択されたケースでは、引き出されるのは二つの因子である。表2には、もとの六つの変数が、それぞれ新しい二つの複合変数と相関するありさまが示される。

何が起こったかを見てみよう。ここで因子分析は二つの根本的なパターンを割り出している。まず、人々にはそれぞれ異なる何らかの属性があり、それがひとそろいの異なる結果（社交、旅行、競争、セックスへの関心）を予測している。この属性が何であるにせよ、そのために一種の統計上の代替物《プレースホルダー》になっているのが因子1であり、このため因子1と四つの変数との間の相関（傍線）はいくぶん大きくなっている。

さらに、第一の属性とはまったく無関係な第二の属性がある。それはセックスへの関心や旅行についてはほとんど何も語っていないが、うつと不安になりやすい傾向については多くを予測する（因子2の傍線の相関）。実は因子1が表すものは外向性（Extraversion）というパーソナリティ特性であり、因子2が表すものは神経質傾向（Neuroticism）という特性なのである。これらの特性の性質が、このあとの各章の主題である。データから特性を引き出す手順は、いま述べたとおりである。パーソナリティ研究者は、人々の特性をアプリオリに断定したり、神秘的な思索や推測などといった非経験的な手段で決めたりしない。通例は実際の人々からさまざまな方法で集めたおび

もとの変数	因子1	因子2
旅行	0・67	0・01
社交	0・59	マイナス0・11
競争	0・50	マイナス0・09
セックスへの関心	0・68	0・17
うつ	マイナス0・01	0・85
不安	マイナス0・05	0・85

表2　イギリスの成人545人で6つの評定尺度から引き出された因子。

ただしい数のデータを処理し、データから浮かび上がる特徴を（特性のためのプレースホルダーとして）決定するのである。

多数の行動や特徴についての評定を因子分析で分析すると、しばしば五つの因子が引き出される。このことはすでに一九三〇年代初頭に気づかれており、タイプの異なるさまざまなデータでしばしば繰り返されていたにもかかわらず、ずっと無視されてきた。一九八〇年代になってようやく、何人かの研究者たちが5という数に何か特別なものがあると、そろって考え始めた。ポール・コスタやロバート・マクレーのように、それまで少ない数の次元を扱っていた研究者たちは、五つの次元からなるセットを使うことによって、前より多くの個体間の違いが説明できることに気づき始めた。一方、5よりも多い数の次元を扱っていた研究者たちは、扱う次元の数を減らしても情報をそれほど失うことはなく、信頼性も損われないのを知った。こうしていくつかの論文が、人間の行動と特徴の評定に見られる広範な個体差の大部分が五つからなる因子（それ以上でもそれ以下でもなく）を使って捉えられることを、一種のコンセンサスとして示すに至った。しかもこの五つの因子——ビッグファイブ——の内容は、ほとんどつねに同じなのである。五つの因子は、さまざまな名称で呼ばれており、それぞれに明確な特徴が当てられている。このあと第3章から7章までひとつずつ考察していくことになるが、とりあえずは五因子というものに馴染みのない人々のために、簡単な全体像を示してみよう［表3］。

さまざまなパーソナリティ特性モデルが、実は五因子モデルにぴったりとはまることがわかるに

表 3　ビッグファイブ・パーソナリティ次元概要

パーソナリティ次元	スコアが高い人の特徴	スコアが低い人の特徴	扱っている章
外向性 Extraversion	社交的 ものごとに熱中する	よそよそしい・物静か	3
神経質傾向 Neuroticism	ストレスを受けやすい 心配性の傾向	情緒的に安定	4
誠実性 Conscientiousness	有能・自己管理できる	衝動的・不注意	5
調和性 Agreeableness	人を信頼する 共感できる	非協力的・敵対的	6
開放性 Openness	独創性・創造力に富む エキセントリック	実際的・因習的	7

つれて、学界内でのコンセンサスはきわだって強まりつつある。たとえばレイモンド・キャッテルは、一六のパーソナリティ特性を使った構造でよく知られているが、これらは確実に減らすことが可能である。いくつかはたがいに相関しており、それを因子分析して減らした結果は、ビッグファイブに多少とも合致するのである。同様に、ハンス・アイゼンクは、パーソナリティのデータに見られる個体差の多くが、わずか三つのスーパー・ファクターで捉えられると主張した。外向性、神経症的傾向、そして精神病的傾向である。アイゼンクのこの三つのスーパー次元のうち、外向性と神経症的傾向の二つはやはりビッグファイブに含まれており、残りの精神病的傾向はビッグファイブの調和性（Agreeableness）と誠実性（Conscientiousness）を合わせたものと見ることができる。一見してビッグファイブとは反対の立場をとるように見えるアイゼンクの考え方だが、そこからビッグファイブにたどりつくためにはただ、彼の理論のうちで最も曖昧な要素である精神病的傾向を二つの要素に分解し、あとは開放性（Openness）を付け加えるだけでよい。見かけの相違や矛盾があっても、結局はまわり道をしてコンセンサスにたどりつくことになるのである。

このように、ビッグファイブがコンセンサスとなったいま、その測定のための質問紙方式にも多くの異なるタイプが現れた。そのひとつが、本書の最後に掲げたニューカッスル・パーソナリティ評定尺度表である。ただし、これらの質問紙はどれも、自分がどんな人間かについての人々の自己申告に基づいている。これらの質問紙が、テストを受けたその日の気分やそう見せたいと思う自分、不完全な自己認識、さらにまたこの種のデータを無意味なものにするさまざまな要素によって影響を受けるだろうことは想像に難くない。果たしてこの五つの次元のスコアは、人々の長期にわたる行動を理解するのに役に立つのだろうか。役に立つという証拠はあるのだろうか。

答はイエスである。実際に、人々のスコアは長期にわたって安定している。ある調査では、同じ人々に対して、六年間隔で三回にわたってパーソナリティ質問紙のテストを行ったが、最後のスコア（研究のはじまりから一二年後）は相関係数0・68〜0・85という率で、当初のそれと相関していた。これはきわめて高い数字である。実際、それは六日あけて同じテストを二度受けた場合の相関係数とあまり変わらないのだ。したがって、たまたまの気分や気まぐれによる変動はきわめてわずかなものといえる。こう考えると、基本的なスコアは一週間のスパンと同様、一〇年のスパンでも変わらないということになる。人々が自己評定したときのスコアと、その人物に近い他者が見たスコアとの間では、その他者が対象の人物をかなりよく知っている場合には相当な相関が見られる。対象となる人物を知らない人間が評定するときは、その評定と本人の自己評定の間には本質的に何の一致も見られない。評定する人が対象となる人物をよく知っているほど、一致する度合いは大きくなる。本人による評定と、彼らをよく知っている人々による評定との相関係数は、一般にはおよそ0・5である。

パーソナリティ評定の意義を理解するには、かつてゴールトンが主張したように、人々の行動を直接観察した結果と結びつけてみるとわかりやすい。観察といっても、心理学者たちがロンドンじゅうを歩きまわって、人々をとっつかまえ、その行動を調べるわけではない。むしろその観察は、大学の研究室内部でなされるケースが圧倒的に多いのだ。そうであっても、観察の結果は満足できるものである。外向性の高い人は、自己評定で申告しているように、実際によく話す。神経質傾向の高い人は、ストレスフルな、あるいは不快な事柄について考えたり見たりすると、低い人よりも動揺しやすい。調和性の高い人に物語を聞かせると、低い人にくらべて登場人物の心の状態により多く注意を払う。まだまだいくらでも例を挙げられる。だが最も興味をそそられるのは、このパーソナリティ調査表のスコアが、心理学とは無縁の人々にとっても気になる結果を予測するのかどうか、という問題である。はたしてそのスコアは、現実生活のなかで出会う結果を予測するのだろうか。

予測するという証拠を示した研究成果はふえているが、ここでは二、三の例を挙げるにとどめよう。ひとつは、E・ローウェル・ケリーとジェイムズ・コンリーによる研究である。ケリーがこの研究に注いだ努力には、頭が下がるばかりだ。最初の時点でのデータ収集から論文の発表に至るまで、経過した時間はなんと五二年だった。これほどの時間的奥行きをもったデータは、人生の長期的パターンに関心をもつ私たちにとって、きわめて貴重な資源である。一九三五年から一九三八年までに、ケリーは主としてアメリカのコネティカット州から婚約中の三〇〇カップルを調査対象として募集《リクルート》した。ケリーは彼らと接触しつづけ、その結婚の状態について――結婚生活が破綻なくつづいているか、結婚生活が幸せか――追跡調査を行った。データは、結婚直後と一九五四～五年の時期、そして最後に一九八〇年～一年の三回にわたって集められた。一九三〇年代には、一人一人の被験者につきそれぞれ五人の知り合いに依頼して、パーソナリティ尺度評定を行っている（このパーソナリティ尺度は、今日私たちが使っている尺度のさきがけであり、基本的に、外向性、神経質傾向、誠実性そして調和性からなる）。集められた評定の結果から、ケリーはこの四つの次元について平均的パーソナリティ・スコアを引き出した。

結果として、このパーソナリティ・スコア——一九三〇年代に被験者の友人たちによってなされた単純な評定——は、現実に彼らの結婚のなりゆきをかなり強く予測するものだった。カップルのどちらか（男女を問わず）の神経質傾向が高ければ、離婚の確率は平均よりはるかに高かった。別れなかった場合には、その結婚生活は、四〇年後になされた各自別々の評定平均が示すように、あまり幸福なものではなかった。神経質傾向の高い人々が陥りやすいネガティブな情動は、現実の生活のなかで、また長い期間にわたって、確実に違いをもたらしたのである。ほかにもまた興味深いパターンがいくつかある。男性の誠実性スコアは、離婚を予測していた（誠実性のスコアが低ければ低いほど、離婚の可能性は高くなる）。ケリーとコンリーが集めた離婚理由からは、誠実性の低い男性は基本的に家長として落第だという傾向が見てとれる。ある者は大酒飲みであり、ある者は金銭的にだらしなく、またある者はその両方だったりする。ここで注意すべきなのは、彼らが戦前に結婚したカップルであり、当時は伝統的な性別役割分担意識があったことである。女性の場合にこの効果が見られないのは、この時代の女性がおおむね家計の担い手としての役割を果たしていなかったことによる。

不幸な結婚生活にとどまる人々と、離婚する人々を区別するのは、外向性と調和性のレベルである。これもまた納得がいく。外向的な人は、人とのつきあいがとくに上手である。だから結婚がうまくいかなくなったときに、他の相手を見つけて今の結婚にけりをつける可能性もまた、おそらくふつうよりも高いのだろう。調和性については、私の解釈はこうである。二人の関係がうまくいかず、苦しみをもたらすばかりだとしたら、共感と同情の能力が高い人は、別れることによってその苦しい状態を取り除こうとするかもしれない。他者の精神状態にあまり関心のない人ならば、おたがいの関係が冷えきって敵意さえ抱いているような場合でも、そのまま結婚生活をつづけるかもしれない。

さらに注目に値する研究は、一九二一年にルイス・ターマンによって開始された調査である。ターマンの主な関心は、知能そのものと、その知能が人生のなりゆきにどのような効果をもたらすかに向けられた。彼はカリフォルニア州内から、並はずれた知能をもつ少年少女を一五〇〇人集め（「ターマイト」と名づけられたコホート〔統計因子を共有する集団〕である）、彼らが成長し、大人になるまでを追った。一九九一年までには、男子の半数と、女子の三分の一が死亡していた。パーソナリティ・データは彼らの子供時代に集められていた。ターマンのこの調査は、寿命に及ぼすパーソナリティの影響を調べていたハワード・フリードマンらにまたとない機会を提供した。フリードマンらは根気強く死亡証明書を集め、「頭の固い州の役人たち」にしばしば悩まされながら、誰が、いつ、どんな原因で、死んだかをつきとめた。

一九二二年に、ターマンは子どもたちのパーソナリティ評定を教師と両親から集めていた。これらの評定はむろん、五因子モデルよりも前のものであるが、事後的にそこからビッグファイブと類似の次元を引き出すことができる。驚いたことに、死亡の大きな予測要因は誠実性の低さだった。スコアが低い人の場合、どの年をとっても、死亡の確率はおよそ三〇パーセント高かった。理由は何だろうか。死亡の主な原因は癌と心臓疾患だったが、誠実性の高い人々は、これらの病気にかかる見込みが低いのだ。だいたい彼らは、誠実性の低い人より飲酒や喫煙の傾向も少ないし、そのほかの行動面でもおそらくより慎重だろう。フリードマンらはまた、子供時代に楽天的で社交的だった人は、そうでない人とくらべて死亡の公算に差があることを発見した。社交的で楽天的であればあるほど、死亡する確率もより高い。そう、より高いのである。ポジティブな情動の重要性は私たちにとって当たり前の常識になっている。その直観とはかけはなれているものの、実はこれは第3章に見るように、外向的な人間がもつ大きなリスクから説明できるのである。

これらの魅惑的な発見は、パーソナリティ評定が的はずれだとか、見る人次第だとか、参加者が自分について紡ぎ出すストーリーでしかないといった主張を、根拠のない批判にしてしまう。誰にとっても、生きること、そして満足のいくパートナーをもつことは、経験の面からも進化の見地からも、人生のきわめて重要な要素である。せいぜい一〇分で終わる質問紙に答え、その評定尺度によってそれが予測されるのであれば、たとえ不完全であっても、私たちは姿勢を正してそれに向かわなくてはならない。人間の生活が不合理で予測のつかない複雑さに満ちている以上、それらの尺度が何らかの予測的価値をもちうるという事実を直視し、なぜそうなるのかを理解しようと努めるべきである。本書の関心もまさにそれなのだ。

「はじめに」で述べたように、パーソナリティ特性心理学は今、ルネッサンスの時代を迎えている。ルネッサンスが出現するためには、暗黒時代がなくてはならない。事実、パーソナリティ理論には暗黒の歴史があった。一九七〇年代と八〇年代を通じてなされた研究の多くは、これらの理論で説明できない結果があまりにも多く、わずかな一般的パーソナリティ特性を測定することにはたして価値があるのか、という懐疑的批判が広がっていた。本章ではこのあと、この批判の理由を探り、パーソナリティ特性理論がその試練を経て、いかにして新たに力強く立ち現れてきたかを述べることにする。

パーソナリティ特性理論への批判の第一は、それがある循環性をもっているというものだが、これは簡単に反論できる。循環性があるとはどういうことか。つぎの例を考えてみよう。本章のはじめにやったように、私たちはパーソナリティ評定データを見て、旅、社交、そしてセックスへの関心が相伴っていると判断する。そして、この三つに共通して何らかの次元が根底にあると推論し、それを外向性と呼ぶことに決める。外向性そのものは、直接に観察することはもちろん、測定することさえできない――評定に現れたその効果から推測するだけである。外向性という次元をつきとめたら、それを使って行動と傾向を説明する。たとえばおしゃべりの人を見て、「彼女は外向性が高いから」などと言うわけだ。その「外向性」はしかし、相伴う多くの行動（おしゃべりを含む）

によって定義される。したがって、ある人間がなぜおしゃべりなのか、説明するのは無理なのである。モリエールの『気で病む男』に出てくる医者の話と同じである。なぜある調合薬で眠くなるのかと訊ねられて、その医者はこう答える――その薬は「催眠作用」をもっているからです……。なぜその薬が催眠作用をもっているのがわかるのか。なぜならもちろん、その薬は人を眠らせるからなのだ。

　パーソナリティ特性の循環性はこれほど極端ではない。パーソナリティ特性は少なくとも、どの行動が同時に起こりうるかを語ってくれるからだ。そうは言っても、ビッグファイブにせよ、評定データから引き出された他のパーソナリティシステム次元にせよ、それらが語るのは行動の表面に現れた共変動〔二つ以上の変数の相関的変化〕だけというのは確かである。それだけで自動的に解釈を導くことはない。したがって、循環性という批判は間違っていないのだが、しかし同時にこの批判は不当《アンフェア》でもある。間違っていないというのは、もし私たちが評定データから五因子を引き出した段階で終わるだけならば、どんなパーソナリティ傾向がグループとしてまとまるかわかるだけで、たんに興味深い一般論にとどまり、本当の解釈には至らないからだ。そして不当な批判だというのは、ほとんどのパーソナリティ特性心理学者は、自分たちの研究がその段階にとどまるべきではないと信じているからである。

　ここ五〇年のおびただしい研究の成果は、主要なパーソナリティ次元をつきとめることに集中してきた。だが、それ自体はけっして目的ではなく、ただひとつの段階にすぎない。とはいえ、それはきわめて重要な段階なのだ。重要なパーソナリティ特性のセットをつきとめ、どれとどれが確実に違っており、どれとどれが確実に同じであるかを示さないかぎり、どこにも到達できないからである。これは、五因子研究のほとんどが経てきた段階であり、動物学において自然史をやるのとよく似ている。これまでに異なる種をどれほどつきとめたかを含めて、地球上に何が存在するかを探るのだ。これが第一の段階である。つぎの段階は、それぞれの次元を支える根拠となる行動の調査である。はたして評定でつきとめられた特性は、現実世界において客観的に観察可能な行動と結果に関係づけることができるだろうか。前に述べた結婚と寿命に及ぼすパーソナリティの効果は、それが可能であることを示唆している。そのあとの段階は、それぞれの次元の本質的な根拠を探り出すことである。言い換えれば、究極の目的は、なぜある人たちが他の人たちより旅行に関心があり、なぜある人たちがうつや不安になりやすいのかを説明することにある。これこそ真に興味深い段階であり、今日、パーソナリティ心理学のルネッサンスが引き受けようとしているのは、まさにこの挑戦なのだ。

行動科学において、「なぜ」という言葉はさまざまな意味をもつ。ときにはその「なぜ」は実際に、特性が生じるもととなる神経システムの構造は何なのかを問う。この領域では、ここ数年の間で著しい進歩が見られているが、その背景には、PETやfMRIのような脳画像診断《ブレイン・イメージング》テクノロジーが使えるようになったことが主な理由として挙げられる。これによって、人の脳における特定の神経核のサイズと形態が、非侵襲的に、つまり外科的処置なしに目覚めた状態で測定されるようになった。だが、それ以上にこれらのテクニックを使えば、人が特定の仕事《タスク》に反応するとき脳の構造に起こる代謝活動の変化を追跡できるのである。

導入されてまもないにもかかわらず、これらのテクニックはすでに、パーソナリティ特性には脳という具体的に発見可能な根拠があることを立証しつつある。古くから情動とその調節に関わるとされてきた脳領域（扁桃、前帯状皮質、側坐核、前頭前野が含まれる）のネットワークは、人によってそのサイズと構造、基本的な活動、特定の仕事がなされるときの活性化の大きさが異なる。そして多くの研究が明らかにしているように、脳領域におけるこれらの違いは、質問紙によって測定されるパーソナリティ特性（とくに外向性、神経質傾向、そしてやや少なめだが誠実性）や、うつのようにパーソナリティとの結びつきがきわめて強い他の特徴と、たがいに相関しているのである。したがって、ビッグファイブ・パーソナリティ特性はもはや、行動の描写にすぎないとか、自己イメージを写しているだけだとは言えなくなっている。それどころか、これらの特性は、個人の脳の多領域に及ぶ神経の構造と機能に見られる一連の違いを語る、手っ取り早い手段となることだろう。

「なぜ」はまた、個人の発達のなかで行動パターンがどのように生じるのかという問いでもある。これはいわば、生まれと育ちの問題でもある。行動遺伝学にはこの疑問を解くための手法がある。一卵性と二卵性の双子、あるいはまた養子縁組と血のつながったきょうだいとの間で、特性の類似をくらべるのである。これはどれも遺伝の実験である。一卵性、二卵性を問わず、双子たちの環境は共通であるが、遺伝によるバリエーションは、一卵性双生児の場合は一〇〇パーセント同じであり、二卵性双生児が共有するのはおよそ五〇パーセントしかない。養子縁組によるきょうだいは共通の養育環境をもつが、生物学的きょうだいのほうは、これに加えて遺伝的変異の五〇パーセントを共有する。それぞれの相関の違い――たとえば一卵性双生児が二卵性双生児にくらべてどの程度おたがいに似ているか――を見ることによって、行動遺伝学者はパーソナリティの個人差のうちどれほどが遺伝によって説明され、どれほどが共通の環境によって説明されるかを、探り出すことができる。

この研究の結果は、ビッグファイブ・パーソナリティ特性における個人差のおよそ半分が、遺伝的変異に関連していることをはっきりと示す。ビッグファイブで評定されたスコアが高いか低いかということはすなわち、ヒトゲノムに三万ほどある遺伝子のうちのいくつかにあるそうした変異体によって差異を生じている、ということなのである。いくつかのケースでは、すでにどの遺伝子が関わっているかもわかり始めている。遺伝学、進化、そして脳については、このあとの章でさらに詳しく触れることになる。いずれにせよ、このように「なぜ」の少なくとも二つの意味において、パーソナリティ研究がたんなる記述的段階を越えて猛烈なスピードで前に進んでいることは明らかである。

パーソナリティ研究にからむつぎの問題は、従来、「人‐状況論争」と呼ばれてきたものである。要するに、人の行動はどの程度、その人が置かれた状況から生じるのか、あるいはその人に固有の性質から生まれるのか、それともその二つの相互作用が原因となるのかをめぐる論争である。パーソナリティ理論への批判としてしばしば言われるのは、それが行動を予測するのに、状況ではなく人だけを重要視しているということである。また、パーソナリティ構成概念が現実生活を予測する力は情けないほど低い、という批判もときどき聞かれる。これらの主張はいずれも正しくはないが、そこに含まれる内容はきわめて重要であるから、つぎに詳しく見ていくことにしよう。*

パーソナリティ理論の批判者が根拠としているのは、目先の行動はパーソナリティのスコアよりもその時々の状況によって予測されることが多い、という研究成果である。もちろんその通りである。とりあえず手短に考えてみよう。人類の祖先が繰り返し直面しつづけた適応をめぐるさまざまな問題――これを解決するために、進化は私たちに複雑な心のメカニズムをデザインしてくれた。危険から逃れるための恐怖メカニズム、配偶者を選択し交配するための魅力と性的興奮のメカニズム、有利な協力相手を見分けて交わるための協調メカニズムなどである。こうしたメカニズムの本質はどれも、それが特定の状況（危険のなかにいるなど）によって刺激され、一連の特定の反応（心拍の増大、アドレナリンと覚醒、その場を去りたいという欲望など）を促進することからなる。

＊パーソナリティ特性について、その一貫性の低さと説明力の低さについての批判は、一九六八年に出版された *Personality and Assessment* by Walter Mischel に起因する。これはこの分野全体の経験的基礎を概説したものである。ミッシェルのこの重要な本はしばしば誤って伝えられている。彼の議論はパーソナリティ特性心理学の主張の多くについて批判的かつ懐疑的ではあるが、彼は、個人の行動には一貫性があり、それが内的な気質的要素から生ずることをけっして否定してはいない。

さまざまな状況を一連の行動へと結びつけるしくみは、自然淘汰によって、ウイルスよりも複雑なあらゆる生物の中に組み込まれている。それゆえ、ある人がそのとき怖がるか否かを高い確度で予測させるものとして、たとえば中くらいの檻に野生の熊と一緒に入れられた状況といえば、おそらく異論の余地はないだろう。

特定の時点で何らかの状況が人を不安にさせる強い効果をもちうるということは、実際には驚くべきことではなく、まともなパーソナリティ心理学者の世界観を脅かすものでもない。状況というものの圧倒的な効果は、いま述べた熊の例のような強い状況においてとくにはっきり現れる。強い状況というのは、進化の歴史のなかで自然淘汰がそのための行動をデザインした原型《プロトタイプ》にきわめて近いものである。すなわち、恐怖を引き起こす強い状況は、大型の肉食動物がいるのに、隠れ場所もなければ、逃げていく場所もなく、武器もないという状況だろうし、性的覚醒を引き起こす強い状況とは、人目につかない場所で、くつろいだ雰囲気のなかできわめて魅力的な異性（ホモセクシュアルの場合は同性）が気を惹くようにふるまっているといった状況だろうか。前者の例では、恐怖を感じないでいられる人はまずいないだろうし、後者の例でも、その魅力に打ち勝てる人はほとんどいないだろう。

しかしながら人生は、もっぱら強い状況だけから成り立っているわけではない。私たちの日々の生活は、それよりはるかに弱い一連のさまざまな状況から成り立っているのだ。「より弱い」という意味は、その状況には何らかの方向を示すような合図《キュー》が含まれているものの、そのキューが本質的には両義的だということである。たとえば、知らない土地を夜歩いているときなど、潜在的に危険を示すキューを感じるかもしれない――うす暗い狭い路地とか、見知らぬ大男がうろついているとか。そうした状況は実際に危険かもしれないし、危険でないかもしれない。どうやってわかるのか。ここで、個人差の効果が出てくる。もし不安メカニズムが活性化するための閾値がやや低ければ、そのシーンはそのメカニズムが活性化するのに十分なキューを含んでいる。だが、もし閾値が高ければ、そのまま楽しく散歩をつづけられるかもしれないのだ。同様に、もしあなたが面と向かってはっきりと、いわれのない侮辱を受けたなら、まちがいなく腹を立てるだろう。理由はおそらく、ある種の評判を守るメカニズムが動き始めるからである。だが、職場で過ごす一週間、あなたは微妙な無礼や侮辱だと受け取れるような出来事に十数回は出会うだろう。ある人はそれに気づかず、またある人はそれを笑いとばす。そしてまたある人は深刻にうろたえ、怒り狂う。なぜこうも違うのか。それは、関連する心理的メカニズムの活性化への閾値が、人によって違うからなのだ。

このようにこれまで見たかぎり、行動の原因として、人と状況の間には何ら葛藤はない。状況は心のメカニズムの引き金を引き、それが一連の行動を促す。だが、それらのメカニズムが状況によって引き金を引かれる度合――どれほど強く、あるいはやすやすと引かれるか――には個人差がある。実を言えばこの点が、パーソナリティ特性のよき定義を打ち立てるのに役立っている。すなわちパーソナリティ特性とは、特定のタイプの状況に反応すべくデザインされた心のメカニズムの、反応性における安定した個体差である。いかにもアカデミズム風で長ったらしい表現だが、機能的で役に立つ定義である。*

「人-状況論争」から生じる問題はこれだけではない。最も重要な問題がまだいくつか残っている。そのうちのひとつは、たとえ人々の自己評定と他者による評定が一致し、しかも長期にわたって安定しているとしても、必ずしもそれが行動を予測する大きな力になるとは言えないかもしれないということだ。質問紙による評定データを、現実に現れる行動と比較対照してみると、出てくる相関はきわめて弱くなりがちである。たしかにこれは、ある程度まで事実である。ただ、心理学においては、予測する力というのはいずれもかなり低いことを忘れてはならない。心理学は物理学とは違う。物理学では、個々の物体の軌道を小数点以下どこまででも予測することができる。心理学——どのタイプの心理学でも——の場合、せいぜい望みうるのは、集団ごとの統計レベルでのなにがしかの予測力である。個々の人間がいつ、何をするかについて、正確な予測をするところまでは、けっしていかないだろう。

ただし、この一般論を考慮しても、パーソナリティ測定と行動の相関が比較的低くなりうるというのは確かである。行動測定が一回限りの場合、たとえば実験的な状況で行動を測定するケースなどでは、とくにそれが言える。こうした一回限りのシナリオは、その時点にしか起こらないさまざ

*この定義は、ビッグファイブの四つの因子にはきわめて役に立つが、のちに見るように開放性に適用するのは困難である。気質によるパーソナリティの違いについてミッシェルが行った最新の定義は、この定義にきわめてよく似ている。(Mischel, W and Shoda, Y., 1998)

まな環境要因に影響される。したがって、その人の基本的なパーソナリティ特性と行動の間の相関が0・3以下といった低いものになるとしても、驚くに当たらない。だが、多くの例から行動を集めた場合、パーソナリティの重要性ははるかに明らかとなる。

例を挙げて説明してみよう。たとえば忙しい職場では、仕事に必要なものが同僚に先に使われてしまうことがよくある。ここに調和性の低い人物がいて、一日に二〇回そうした状況に遭遇するとする。彼がその場で同僚を怒鳴る公算は、並みの調和性をもった人にくらべて10パーセント高いだけかもしれない。したがって、その時点での苛立ちを予測するには、パーソナリティ変数の効果はきわめて弱い。だが一日全体で総計すると、調和性の低い人が苛立った行動を見せる回数は、並みの調和性をもつ人よりも一回多いことになりかねない。一週間では五回、一年では二〇〇回以上の差となる。その違いは確かにその人の人生に影響をもつだろう。この大きな違いを作りだすのは、一回ずつの場面のわずかな違いの蓄積なのである。多くの例にわたって行動を総計すればするほど、行動を予測するうえでパーソナリティのもつ意味はいっそう重要になってくる。

行動における小さな違いの蓄積効果は、人々の行動と状況の間の交流が双方向であることを考えると、もっとはっきりする。たとえば私が忙しいオフィスに戻って、同僚たちを怒鳴ったとする。同僚たちは当然不愉快になり、このあと私が仕事で使いたいものがあっても、わざとぐずぐずするかもしれない。あるいは仕返しするために、私を苛める陰険な方法を考え出すかもしれない。とくに同僚のなかでも調和性の低い人は、特別な反応を示すだろう。私の態度を無視するとか、笑いとばすかわりに、対決の機会を探し求めることにもなりかねない。こうして私は自分のパーソナリティ傾向ゆえに大変な状況に陥ることになる。調和性が低いことからくる間接的な結果として、私の行く手にはいよいよたくさんの争いが待ち受けていることだろう。

パーソナリティが状況にもたらすそうした効果は、ごくふつうに見受けられる。なぜ外向的な人は、他の人よりも行きずりのセックスを楽しむことが多いのか。おそらく内向的な人の多くもまた、そうしたいのだ。実際に状況が許せば、彼らもそうするはずである。ただ内向的な人の場合、なかなかその種の状況に身を置くことはない。外向的な人は見ず知らずの人にも簡単に話しかけるし、すぐに知り合いになり、多くのパーティに出かける。むろん外向的な人がいっぱい集まっているパーティである。実のところ、パーティとは本質的に、外向的な人間がおたがいを見つけだすための仕掛けなのだ。こうして外向的な人は一連の選択の末、行きずりのセックスがしやすい状況へと行き着くのである。行動自体は完全に状況的なキューによって決定されているとしても、外向的な人間は状況の選択を通じて、行きずりのセックスをする機会が多くなるわけである。パーソナリティと状況の間のこの種の関係は、状況選択（situation selection）と呼ばれる。

状況選択は、状況喚起（situation evocation）とくらべられる。状況喚起とは、さきほど例に挙げた調和性とオフィスでの喧嘩の関係のように、自分が誘発した他者からの反応が、自分がすでにもっている傾向を持続させせたり誇張させたりする場合である。このことを示すもうひとつの例は、結婚に至るまでの——そして結婚を終わらせるまでの——推移である。結婚と離婚は、外的な状況による人生の出来事の典型的な例だと思われがちである。状況が行動を大きく決定する見本というわけだ。だが実は、結婚に至る傾向にも、また、すでに見たように結婚生活が不和となる傾向にも、ともにパーソナリティが強い影響を与えている。実際に一卵性双生児同士の結婚歴が比較的似ていることからもわかるように、結婚にしろ離婚にしろ、そのなりゆきにはかなりの遺伝的影響がある。私たちがふだん経験している感情や考えが、他者のなかに、私たちと結婚したいという欲望や、結婚していたくないという望みを喚起する。それゆえ、配偶者との関係を「状況的」変数と見なすならば、「人」のもつ微妙な効果を見過ごすことになるかもしれない。

状況選択と状況喚起の力はおそらくかなり大きいと思われる。ここ二〇年で明らかになったように、もし行動がしばしば人生の出来事《ライフ・イベント》の結果として起こるとすれば、人生の出来事もまた、しばしばパーソナリティによって起こるのである。事実、ポジティブにしろネガティブにしろ人生の出来事を経験する傾向にはかなりの遺伝性があることが、最近になって双子の研究から明らかにされた。一卵性双生児は、二卵性双生児にくらべて経験する人生の出来事がはるかに似ている。考えられる理由はただひとつ、パーソナリティそのものに遺伝的な変異があり、これが状況選択と状況喚起を通じて、似通った状況パターンへと導くのだろう。人生というのはそれ自体、可能性の空間を曲がりくねって進んでいく流れのようなものだ。その中で私たちがとるどんな行動も、つぎに直面する状況に影響を及ぼす。少なくとも豊かで自由な社会においては、人が成熟した大人になるまで、人生とは意識的と無意識的とにかかわらず、だいたいにおいて自分で選択した状況に、適切に反応していくことにほかならない。

この効果のため、また集計のもつ力のせいで、リアルタイムで人々の行動をモニターする研究(日記やポケットベルなどを使って)では、決まってつぎのようなパターンが見出される。個人の行動は、時間から時間、状況から状況へと、大きく変動する。内向的な人でも、ときには話すのを止められないし、調和性がきわめて高い人でも、ときたま口論するはめになる。だが、内向的な人が話を止められない場面は、外向的な人が話しつづけるケースにくらべてはるかに稀である。内向的な人はだいたいにおいて、閾値を越える状況にいることはめったにないからだ。このように、ビッグファイブに関わる感情と行為の頻度には、きわめて信頼性の高い個人差が見られる。この結果、適当な期間、たとえば二週間をとって、その間の行動の平均を見れば、つぎの二週間における行動が強く予測される。人はそれぞれに特徴的な、その人らしさ(the way of being)とも言うべきものをもっており、さまざまな状況での人々の行動を集計していけば、それぞれの「その人らしさ」が浮かび上がってくる。この「その人らしさ」がきわめて重要なのは、主要なパーソナリティ次元のひとつひとつが、人生のなりゆきに影響をもつことがわかっているからである。

パーソナリティ特性の適正な範囲、つまりどこまで広く、あるいは狭く取るべきかという問題については、さらにまた重要な疑問がある。人々の行動は、しばしば長期にわたって首尾一貫している。だがその一貫性は、状況がまったく同じであるときに最も高い。子供たちの道徳行動をめぐる古典的研究においても、テストでのカンニングは、その子供がこの先同じようなテストでカンニングを繰り返すことをかなり強く予測する。だが、たとえば点数の改竄といった、別の種類の「不正」を予測することはあまりできない。したがって、「正直さ」などの一般的な特性よりも、「カンニングペーパーを使ってテストで不正をする傾向」といったような狭い構成概念を使うほうが、もっとよく行動を予測するだろう。

このため、心理学者のなかには、パーソナリティ特性とは無条件に指定されるべきものではなく、つねにある種の状況に関連して定義されるべきだと主張する人々もいる。だがある意味では、どのパーソナリティ特性の定義もすでに状況との関わりのもとになされている。たとえば神経質傾向とは、ネガティブな情動が過度に活動するということだ。したがって、ある人が神経質傾向が高いというのは、その人にとって脅威となる類の状況で強く反応するだろうというのと同じである。

だが、そういう類の状況の範囲をどれだけ広く、あるいは狭くするべきかという疑問は、まだ残っている。広く神経質傾向一般を測定すべきなのか、あるいは病気、同僚からの評価、対人関係など、別個の対象ごとにその神経質傾向を測定すべきなのだろうか。範囲の狭い下位特性を使えば、広い特性を使ったときよりも、首尾一貫性は高くなる。ただし、たとえ広い特性を使ったとしても、やはりいくらかの――かなりの量と言っていい――首尾一貫性は得られるのだ。もちろん、対象となる状況の範囲はこちらのほうがはるかに広くなる。先に述べた子供の道徳行動研究の例でも、異なるタイプの不正行為同士の相関はゼロよりもはるかに大きい。

では、私たちが測定する必要があるのはどちらなのだろう。少数の広義の特性か、それともたくさんの狭義の下位特性なのか。両方可能だというのが、その答である。下位特性を測定すれば、一連の狭い状況についての予測は最大になる。だが、たとえ状況がかなり広い範囲にわたっていても、一貫性は（いくぶん弱いにせよ）存在する。そして、ビッグファイブのような広い特性が捉えるのは、この首尾一貫性なのだ。病気についてくよくよ悩む人を見て、この人は他の事柄についても、ふつうよりくよくよするだろうと予測できるのは、神経質傾向のもつこの弱い一貫性のためなのである。

これらのきわめて幅広い特性はなぜ存在するのか。ある人が病気についてどれほど悩むかということが、なぜ、その人が対人関係について悩む量を測る重要な予測値となるのだろうか。たとえば安定した対人関係をずっともっている人が、たまたまその時点だけ健康に不安を抱えているということも、ありうるではないか。答はこういうことであろう。つまり、病気についての悩みをつかさどる心のメカニズムと、他の事柄についての悩みをつかさどる心のメカニズムとは、脳の回路を共有しているのである。これらの共有回路の反応性の違いは、ひとつだけでなく、あらゆるタイプの悩みに現れてくる。このことは、自動車を例にとるとよくわかる。ハンドブレーキとフットブレーキとは、それぞれ違った仕事をしており、いくつかの別個の部品から成り立っているが、同時に同じ油圧システムに依存している。その結果、ブレーキ液の圧が減れば、両方のブレーキの効率がともに低下する。二つの機械が共有の装置に頼れば頼るほど、一方の性能や動作がもう片方のそれを予測する度合いも大きくなるわけだ。

したがってビッグファイブの各次元は、それぞれ何らかの基本的な脳回路におけるバリエーションとして捉えるべきだろう。それらの回路は、いくつもの関連した心理的機能からなるファミリー全体に影響を与える。そしてひとつひとつの心理的機能は、共有していない脳回路からも影響を受けるのだ。相関関係が完全でないのはそのためである。すでに見てきたように、セックスへの関心、旅行への関心、社交への関心、競争心など一連の事柄は、すべてがゆるやかにまとまって外向性のファミリーを形成している。これらの多様な行動を結びつけるのは何であろうか。あとで見ていくように、これらはすべて同じ脳の報酬回路に依存している。魅力的な異性の顔を見ること、金を得ること、食物を手に入れること、さらにまた依存性薬物を摂取することといった多種多様な報酬の期待に関わっているのは、同じ脳構造である。適応度を増すと思われる事柄に向かって動け！――これがはるか祖先の時代のオリジナル・メカニズムの機能だった。どうやら自然淘汰は、この原始的なオリジナル・メカニズムからますます多くの送電線《フィーダー》を引くことによって、異なるタイプの報酬――冒険、セックス、魅力、社交などなど――からなる複雑な心理学をまとめ上げてきたようだ。あなたの脳の中で、その共有メカニズムがふつうより活発だとしたら、報酬を期待できる活動にしても、特定のひとつというだけではなく、より多くのタイプの活動にひきつけられることだろう*。

　異なる心理的メカニズムが資源を共有できるのは、それらが進化の歴史を共有しているからか、実行するデザインの大筋が構造的に似ているからか、それらがしばしば同時に必要とされるからか、このうちのいずれかの理由による。あるいは、この三つがいろいろ組み合わさることもあるだろう。いずれにせよ自然淘汰にとって、単純な祖先から少しずつ築き上げてきた脳の中に、たがいに関係のあるメカニズムを機能的にまったく独立させるというのは、高くつくばかりか、困難であり、また不必要でもある。したがって、共有の、もしくは重複した資源に頼る心理的メカニズムのファミリーが存在するというのは、けっして驚くに当たらない。**

狭い下位特性を研究するか、それとも広い特性を研究するかは、その目的が何かによる。狭い下位特性は、何らかの特定の行動についての予測力を最大限に強める。その一方で、広いビッグファ

*金、食べ物、そして他のタイプの報酬に対するように、同じ報酬回路が美しい顔にも反応する。自然淘汰が、現存のメカニズムからフィーダーを引くことによって新しいメカニズムを構築するというもうひとつの例は、心理的苦痛である。社会的に排除されることの苦痛は、より原始的な身体的苦痛の機能と同じ脳回路を活性化するように思われる。

**この考え方とはまったく異なり、自然淘汰がいかにしてメカニズムをお互いから独立するようにさせてきたかを強調する考えがある。ただ、本書の立場と、そういう立場の間の違いは、一見して考えられるほど大きくはない。私は、特定の心理学的メカニズムが領域特異的デザインの証拠を示すということは否定しない。しかしながら、多様なタイプのネガティブな情動や多様なタイプの報酬志向的行動が、共通の神経回路構成に部分的に頼るというのは、きわめて経験的な事実である。自然淘汰がこの状況を安定して持続させておくかどうかは、多くの事柄に左右される――非能率によって引き起こされる適応コスト（もしあるとすれば）、そして適応度利得をもたらすステップからなる機能独立へのルートの存在を含めて。

イブは個人差というものについて、はるかに大局的な見方を提供する。そこには、個人のもつ異なる性質のすべてがどのように結びつき、もっと少ない数の基礎的な特徴に収束するのかという、興味深い問題も含まれる。本書の目的はパーソナリティを通観的に見ることであるから、このあとは広い特性レベルだけに的を絞っていく。

本章で、いくつかの基本的な要点が明らかになった。パーソナリティ特性とは、さまざまな種類の行動における、意味のある、安定した、そしてなかば遺伝的に受け継がれてきた首尾一貫性にほかならない。これらの特性は、評定《レイティング》を使って測定することができる。多くの事例にわたって集められたとき、評定は予測力をもつ。特性は人生の出来事《ライフ・イベント》に対する私たちの反応に影響を及ぼすだけでなく、私たちがどのような人生の出来事を経験するかにも影響する。一人の人間の気質を組み立てる多くの狭い特性は集束する傾向をもち、ここから五つの広い特性ファミリー——ビッグファイブ——が現れた。その研究はきわめて役に立っている。本書ではこのあと、ビッグファイブのひとつひとつを、第3章から7章まで順を追って見ていく。だが、その前にまず、進化の問題を採り上げなくてはならない。ビッグファイブにおける個人差はどこからくるのか。そしてなぜ、自然淘汰はその違いが持続するのを許したのか。

2　フィンチの嘴

それぞれの環境にとって最良の生物がいるとすれば、
それぞれの生物にとっても最良の環境がある。
リー・クロンバック

ガラパゴス諸島のフィンチは、ダーウィンの進化論のきっかけになったことで有名である。ここには、およそ一九のかなり大きい島々と、数十の小さい島がある。どの島の植物相も少しずつ異なっているから、そこで餌を探す小さな鳥たちも、島によって少しずつ異なるチャレンジに直面することになる。ガラパゴス諸島に滞在している間、ダーウィンは、島によって生息するフィンチの嘴にそれぞれわずかな違いがあることに気づいた。大きな種子があるところでは、それをかち割るフィンチの嘴は厚くて強い。一方、穴をほじって種子をついばむところでは、嘴は薄くて細い。ダーウィンの説明はこうだった――これらのフィンチはすべて共通の祖先に由来しているが、住みついた島の生息環境に最適な嘴のサイズに最も近い個体が、他とくらべて生き延びて子孫を残す大きなチャンスをもった。大きな嘴をもつ親は大きな嘴の子孫を残し、ほっそりした嘴の両親はほっそりした嘴の子孫を残すため、それぞれの島における集団は、しだいに嘴の特徴が異なるようになった。これはむろん自然淘汰が働いたためで、自然淘汰によって異なる生息環境間での生物の違いが生じたのである。

だがガラパゴスのフィンチには、もうひとつ、目下のテーマとつながる興味深い側面がある。実はそれぞれの島のフィンチ集団には、その内部にも違いがあるのだ。ある一つの島を選んで嘴サイズの度数分布を描くと、はっきりした中心傾向が見られるが、この平均値からいずれの側にも嘴サイズの広汎な広がりがある。嘴のサイズは親から子に伝わる率がきわめて高い。おおむね遺伝によるわけだ。そこで疑問が生じる。それぞれの島に最適な嘴サイズがあるとすれば、その島では全部のフィンチがそのサイズになるはずではないのか。島と島の間だけでなく、島の集団の内部にも、嘴のサイズに遺伝的な差異があるのはなぜなのか。

これこそ、私たちがパーソナリティについて問わなくてはならない疑問である——なぜ個人間に差異があるのか。このあと本書全体を通じて、この問題はきわめて重要な意味をもつため、ここで進化生物学について少し触れておきたい。フィンチの嘴サイズと同じように、人間のパーソナリティ特性もまた、親から子へと伝わる。つまりそこには、遺伝子における違いが関わっている。ゲノムは、多くの異なる遺伝子からなっている（人間の場合はおよそ二万）。これらの遺伝子のそれぞれは活性化されると、たとえば人の細胞に使われる特定の蛋白質の合成を引き起こすといった、何らかの生物学的効果をもつ。遺伝子はきわめてしばしば、集団のなかで二つかそれ以上の変異体として存在する。そのような変異体が生じるのは、遺伝子突然変異によるものだ。精子と卵子が作られ、細胞が分裂して遺伝子がコピーされるとき、稀に間違いが忍び込むことがある。それゆえ新しい遺伝子配列は、繰り返され、除去され、置換され、あるいは改変された遺伝子コードの配列によって、その祖先から異なるのである。いったん突然変異が起きると、それをもつ個体は、それを子に伝えるチャンスをもつ。そしてその子もまた、自分の子どもに伝えていく。こうしてひとつの個体に始まった突然変異は、環境とチャンスに助けられれば、集団において広くゆきわたる可能性をもつのである。

突然変異によっては、遺伝子の機能に何の違いももたらさないものもあるが、なかには合成される蛋白質の構造を変えるものもある。そうなるともちろん、程度の差こそあれ、現実に細胞の働きに影響を及ぼす。最も劇的なケースとしては、嚢胞性線維症やアペール症候群のように、重大な機能障害が引き起こされることがある。だが普通は、遺伝子変異体が引き起こす影響はこれほど劇的ではなく、たとえばほとんどの輸血を受けつけない特殊な血液型とか、特定の蛋白質を作り出す効率にきわめてわずかな差があるなど、はるかに微妙なものである。ゲノムにおける変異は比較的豊富に存在する。人間の遺伝子についての研究によれば、人間の遺伝子の半分以上は、その働きに違いをもたらす変異体をもっており、それらの変異体は人間の集団にかなりの頻度で存在する。きわめて多いケースは、共通のフォームが圧倒的であるなかに、稀な変異体がある場合である。これについては、最近になって作られ、しばらく局地的にとどまったのち、すぐに絶えてしまう型の突然変異と解釈していいだろう。だがそれとは別に、稀なほうのフォームがそれほど稀というわけではなく、全人類に広く散らばっていることから、大昔に出現したと見られるケースもある。

集団内部に見られる違いについての「なぜ」という問いを、具体的に言い換えてみよう。さしあたって嘴サイズに焦点を合わせることにする。ある種の遺伝子変異体をもった鳥は、普通より厚い嘴をもつことになる（角質を少しだけ効率的に作る、あるいは角質が長期にわたって成長をつづけるなど）。その島の生息環境に最も適するのが厚い嘴だとすると、それらの変異体をもっている鳥は、生き延びて子孫を残すのに最も有利になる。逆に薄い嘴の変異をもつ鳥は少数の子孫しか残さないだろうから、何世代かたつと集団内でその割合は減少し、しまいには消滅するだろう。そうなると、厚い嘴が最適である島では、集団は「厚い嘴」の遺伝子変異体をもった鳥だけになり、単一の島の集団内部には、遺伝による差異は何ひとつ残っていないことになるのではないだろうか。

これはまた、つぎのように言い換えることができる。つまり突然変異が遺伝子変異体を作り出し、そのあと自然淘汰がそれを吹き分け《ウィノウ》るというのである。吹き分けとは、農作業の際に最上の籾《もみ》だけを残すために、ゴミや籾殻などの無駄なものを吹き飛ばす作業のことである。自然淘汰がするのもこの選別作業なのだ。局地的環境に最も適した個体を作る遺伝子変異体が、集団内での頻度を徐々にふやしていき、ついには他の遺伝子変異体を何も残さなくする。この選別効果は「フィッシャーの基本定理」（Fisher 1930）とも呼ばれている。つまり、自然淘汰は遺伝による変異を減らすのである。

ここでパーソナリティについてもまた、つぎのような推測は成り立たないだろうか。ネガティブな情動が喚起されるのに最適の閾値があったとする。この最適値を見出すまで、自然淘汰はほんの少しずつ小刻みに揺れ動いたことだろう。だがいったん見つかると、それは野火のように拡がり、全員がこのレベルの閾値を生み出す遺伝子変異体をもつことになる……。だが双子と家系の研究は、神経質傾向が遺伝的だという事実を示している。したがって、いま述べた推測は当たらないのだ。神経質傾向の遺伝性が強いというのは、集団内にネガティブな情動の閾値に関わる多様な遺伝子変異体があり、人々は親のもつ変異体を受け継ぐ傾向にあることを意味する。ではなぜ、フィッシャーの基本定理はここで当てはまらないのだろうか。

フィッシャーの基本定理があるがゆえに、生存と繁殖にとって重要な遺伝的変異が少なくなるのだろうという見方がある。これは、進化心理学者の間でどこか信仰箇条のようなものになっている。レダ・コスミデスとジョン・トゥービイによれば、人間の遺伝的変異は血液型とか目の色のような「役割としては外面的な」特徴だけに制限され、重要な心理的メカニズムは「種特異的」〔形態あるいは機能のうえである種は共通にもっているが他の種には認められない特色〕、すなわち種のなかのすべての標準的な個体で同じだというのである。

これは明らかに正しくはない。ゆるぎない証拠が示すように、人間の知能、パーソナリティの特徴、身長をはじめ、多くの属性は親から子へと遺伝する。これらのいずれも生存と繁殖に影響することは、疑問の余地がない。先の例で見たように、パーソナリティが結婚と長寿に関係することからも、これは明らかである。それではいったい何が起こっているのか。

実はこれに関連して、トゥービイとコスミデスがいくつかの主張を展開している。第一に、人間をはじめどの生物集団においても、質の異なる複数の心的メカニズムをもった個体が含まれることは考えられない。なぜならメカニズムは、最終的に複雑なデザインを作り出すために協力して働く何ダースもの遺伝子の組み合わせからできているからだ。たとえば、あなたがネガティブ情動システムをひとつしかもたず、それを環境のなかのあらゆる種類の脅威を避けるのに使っていたとする。一方、私のほうはそのシステムを二つもっている。ひとつは人々からの脅威を検知するためにデザインされ、もうひとつは完全に別個の脳の領域を使って、無生物環境からの脅威を検知するためにデザインされたシステムである。ひとつのシステムからなるデザインも、二つのシステムからなるデザインも、ともにきわめて理にかなっており、どちらかが他のものよりよいというアプリオリな理由はない。ここで、この二つのタイプが両方含まれている集団を考えてみよう。私たちは赤ん坊を作るたびに、父親と母親の遺伝子パックを混ぜ合わせる。だが、前述の集団のなかの不運な子供たちは、二つの別個の脅威検知システムを作るのに必要な遺伝子材料のおよそ半分と、単一の統一システムを作るのに必要な材料のおよそ半分をもつことになるかもしれない。おいしいスフレを作る食材の半分と、おいしいチキンカレーを作る食材の半分を用意して、出来上がるのはおいしいスフレでもなければおいしいカレーでもない。どうしようもないごちゃ混ぜである。このことがもっとはっきりするのは、情動回路を作るための二つの完全な遺伝子体系を半分ずつもった場合である。どちらの遺伝子体系にしても、五〇パーセントだけでは一〇〇パーセントの場合ほどは働かないし、おそらく五〇パーセントほども機能しないだろう。いや、それどころかまったく役に立たないだろう。そうなると繁殖の際の選択は当然、種特異的な基本デザインに強く向かうことになる。つまり、自分と同じ基本的なタイプの青写真をもつ相手を選ぶのである。そうすれば、両親の二つのゲノムが赤ん坊のゲノムのなかに複製されるとき、結果として出来上がる混合物はスフレでもカレーでもなく、機能をまるごと備えた統一体となるからだ。

　そうなると、繁殖の面で適合するためには、単一の集団に類型の異なる個体が含まれていてはならないことになる。*人々を別個の「類型」に分類するパーソナリティ理論が、生物学的に妥当とは言えない理由のひとつがこれである。だが、現実に見出される個人差はどういうことなのだろう。身長、パーソナリティ、知能など、これまでに挙げたいくつかの例を見れば、これらが基本的に連続的な次元だということは明らかである。身長には遺伝的な違いがある。それは、遺伝子変異体が成長プログラムを少しだけ速く、あるいは少しだけ長く作動させる（そのシステムの総合的な調整を妨げることなしに）のに、多くの方法があるからだ。そうなると重要な遺伝的な違いの大部分は、すべての人が共有する何らかのシステムの機能もしくは発達に、違いをプラスする変異体から成り立っていることになる。だれもが同じ基本的なボディプランからなる身体をもつ。だが、そのサイズは人によって異なる。だれもが同じネガティブ情動をもっている。だが、その情動が喚起される度合は人によって違っている。神経質傾向の強い人の情動は比較的簡単に喚起される。だれもが同じ認知器官をもっている。だが人によってそれは、少しばかりすばやく、あるいは効率的に働く。個々人の違いについて研究する際に、つねに心に留めておく必要があるのはこのことだ――私たちが扱っているのは、一連の共通《ユニバーサル》のメカニズムに沿った連続的な多様性なのである。

もうひとつ、なぜこれらの連続的次元に沿って多様性が持続するのかという問題が、まだ残っていた。トゥービイとコスミデスの推測によると、連続体にはふつう繁殖が成功するのに最適の場所があり、すべての個体がこの最適値を生み出すのに最も有望な遺伝子型《ゲノタイプ》をもつようになるまで、自然淘汰の選別活動が働くという。ただしいくらかの特徴には、連続的な遺伝的変異という「何らか

＊これについては、きわめて啓発的な例外が少々ある。血液型のような波及効果のきわめて限られた単一遺伝子多型がある。ある種の魚では、雄のタイプが分かれる。概してゆっくり成熟し、競争でテリトリーを守るタイプと、性的成熟が早く小さいままで、テリトリーをもたずにこっそり交尾しようとするタイプである。後者は行動生物学者が面白がって「スニーキー・ファッカー」と呼んでいる。少なくとも一つのケースでは、この二つの雄のタイプの違いは、単一の遺伝子によってコントロールされている。最も適切な説明は、どの雄も、あらゆる機能のためのメカニズムを一式共有しており、「スイッチ遺伝子」が成長とテリトリー防御メカニズムを調整して、時によりそれらをオンにしたりオフにしたり、あるいはまったく働かせないというものである。言い換えれば、質的な違いのように見えるものは、実際には、同じ基本的なデザインにはめこまれた量的な違いの調整メカニズムなのである。ここで思いつくのは、非類型的違いのルールに当てはまらない、もう一つのまぎれもない例外——雄と雌である。雄と雌のゲノムにはともに、雄あるいは雌を造るのに必要なメカニズムが一式ある。Y染色体上のマスタージーンはたんに、発達する個体にこれらのメカニズムのどれが、どのレベルで、発現されるかを調整するだけだ。確かに方法としてはこれしかない。そうでなければ、パパは男の子を作るのが得意、ママは女の子を作るのが得意、そして異性愛のカップルはどちらにも向かないことになってしまう。

の薄膜」があることは、彼らも認めている。だが、それらはたいして重要だとは考えていないようだ。彼らの考えに私が唯一難癖をつけるとしたら、その膜はそれほど少なくないかもしれず、それほど薄くないかもしれず、それほど取るに足らないものではないかもしれないということだ。なぜ、淘汰による選別作業にもかかわらず、重要な特徴において連続的な変異の膜が存在しつづけるのかという問題に取り組むため、ふたたびガラパゴスに戻るとしよう。ピーターとローズマリー・グラントの超人的な努力のおかげで、これらのフィンチ集団がどのように長期的に変化し、環境がどのようにして彼らの進化に影響するかについて、きわめて多くのことが知られるようになった。

一九七七年、ガラパゴスのダフネ・メジャー島という小島で、深刻な干魃があった。ダーウィン・フィンチ集団のサイズは、以前のおよそ一四〇〇個体から、およそ二〇〇個体にまで激減した。死因はほとんど栄養失調である。その島の鳥たちがふだん食べていた小さな種が非常に少なくなり、生き残るための唯一の方法は、以前は見向きもしなかった、大きくて硬い種を食べることであった。グラント夫妻は、干魃の前と後とに、集団の嘴の厚さを計測した。干魃の前には、嘴サイズは平均9・5ミリで、観察された変異もこのあたりを中心として広がりを見せていた。だが旱魃から生き残った個体は、圧倒的に分布の端に当たる大型の嘴をもったタイプだった。こうして干魃後の集団では、平均の嘴サイズはほぼ10・5ミリとなった。これは自然淘汰の働きであり、生態学的状況を利用して、集団をあらたに嘴の大きな姿形へと引きずっていったのである。

ここまではよしとして、ではなぜそれが、個体差の持続につながるのか。干魃の状況が毎年つづくならば、まもなく集団の全員が11ミリ以上の嘴をもつことになるだろう。だが実際には、干魃は毎年起こりはしない。事実一九八四年は異常に雨が多い年で、小さくてやわらかい種が豊富であった。この年、生き延びて繁殖する見込みが最もあったのは、比較的小さな嘴をもった鳥たちであった。こうして集団は、逆の方向に引き戻されたのである。厚い嘴は、皮の厚い大きな種を食べるのには有利だが、代償《コスト》もあるのは明らかで、おそらく小さな種を効率よく扱うには不利であろう。利益とコストの最適なバランスは、こうして局地的状況によってはっきり変わっていく。一九七七年生まれのスマートでほっそりした嘴をもったフィンチは、不幸なことに生まれる時期が八年早すぎた。一方、きわめて成功した厚い嘴の乱暴者から一九八四年に生まれたフィンチは、変種のほっそりした嘴をもった若者連中との競争に負けたことだろう。シェイクスピアが少々違った背景で言っているように、「機が熟すことがすべて」なのだ。

このように、自然淘汰の選別は変動する。ひとつのごく小さい島の中でさえ、その引きは嘴サイズの連続体に沿って一貫してはいない。どの年にも最も適した嘴のサイズがある。だが、年によってそれは違うのだ。この一貫性のなさを考えれば、淘汰によって集団が単一の嘴サイズの遺伝子型に集束するのはきわめてむずかしい。自然淘汰が、ほっそりした嘴の連中を消滅させようと数年間熱心に頑張っていたかと思うと、ふいに風向きが変わって、いまや小さい嘴のものたちを増加させ、厚い嘴を減らしている。この振幅は、絶え間なくつづく。その不安定さゆえに、淘汰はけっしてひとつの普遍的な最適度に落ち着くことはできない。長年にわたってひとつの嘴サイズが平均してベストだったとしても、またもや揺れが発現すれば、淘汰がその最適条件だけに落ち着いて、他のすべての変異を消し去るなどということは、はるかに困難になる。

つまり、遺伝による変異を持続させるのは、ひとつには変動淘汰である。変動淘汰が変異を保つためには、いくつかの条件がそろわなくてはならない。第一に、連続体上の位置が高いにせよ低いにせよ、いずれも利益とコストの両方をもたなければならない。もし厚い嘴が、干魃のときに有利であるばかりでなく、雨が多くてもやはり有利だとしたら、これはノーゲームだ。厚い嘴だけがひたすら蔓延するだろう。ある状況においては有利で、他の状況においては不利な場合にのみ、変異が持続するのである。第二に、その形質と生存・繁殖の成功との関係には、変動がなくてはならない。いま挙げた例では、年から年への変動だが、同じことが空間についても言える。島の頂部と低地とでは、植生パターンの違いによって、生存・繁殖を行うのに最も適した嘴のサイズがわずかに異なっているかもしれない。さらにまた、局地的集団のなかでの他のものたちの行動さえも、そこに影響を与えることがある。たとえば、ある場所で最も手に入りやすい食料が大きな種であり、巨大な嘴の持ち主がその大きな種を食べつくしたとしても、小さい嘴をもつ個体は食べ残しの小さな屑を食べることで、それなりにうまく生きていけるかもしれない。逆に柔らかい種がふんだんに手に入り、小さな嘴をもった鳥たちが満喫している場合でも、大きな嘴をもつ個体は彼らとの競争なしに硬い木の実を見つけて、はるかにうまく生きていけるかもしれない。この種の効果は、負の頻度依存淘汰と呼ばれる。すなわち、集団のなかである個体のタイプが稀少であるかぎり、その個体はうまくやっていけるということである。そのタイプが最も一般的になってくると、今度は他のタイプの個体のほうが、ニッチをめぐる競争が少ないために、成功するようになるかもしれない。負の頻度依存淘汰は、集団内の遺伝的変異を維持するための強力な方法だが、実際にはこれはもっと一般的な変動淘汰という現象のサブタイプにすぎない。つまりこの例では、淘汰の変動は局地的集団の構成によって起こったことになる。*

最後の条件は、形質の変異には、そこそこ多くの遺伝子が関わる必要があるということである。関わる遺伝子の数がきわめて少なければ、遺伝子変異体はたまたまか、あるいは変動と変動の合間に集団から失われていくだろうし、新しい突然変異にとって代わられるのにも、時間がかかるだろう。いくつかの遺伝子が関わることで、新しい変異が安定して供給され、このプロセスがつづくのを可能にするのだ。

遺伝的変異の維持を可能にするのは、変動淘汰だけではない。もうひとつ大きな力がある。雄の

*負の頻度依存淘汰は強力な潜在的メカニズムだが、それが自然のなかで働いているという直接の論証は今のところ比較的少ない。それはもちろん、雄と雌の割合をできるだけ一対一にしておくためのメカニズムであり、ブルーギル（サンフィッシュ科の魚）では、これによって二つのタイプの雄の比率が調整される。一つのタイプは、子に責任をもって生物学的投資をする親のタイプであり、もう一つのタイプは無責任な親で、不義を働く個体である。この無責任な雄は、希少であるかぎりはきわめてうまくいくが、彼らがコロニー内で一般的になってくると、親としての責任のある雄のほうが成功するようになる。私としては今のところ、人間については論じないでおく。

クジャクの尾を例にとってみよう。知られているように、雄のクジャクはその扇のようなみごとな尾を使って、貧弱な（だが雄にとっては性的魅力のある）雌クジャクの関心を引こうとする。そして最も精妙な尾をもった雄クジャクが、雌クジャクに最も気に入られ、その結果、野生の集団において圧倒的な数の子クジャクの父親となる。野生のクジャクの世界は一夫一婦婚ではない。したがって最も精妙な尾をもった雄が最も多くの雌を妊娠させることができ、ぶざまな尾をしたはるかに多くの雄たちはまったく子孫を残さないことになる。

それにもかかわらず、尾の精妙さにはかなりの遺伝による違いがある。これは頭を悩ませる問題だ。精妙な尾の遺伝子をもった雄は、圧倒的に淘汰上の利点がある。したがって、二、三世代のうちに彼らの遺伝子型だけが残されるだろうと推測したくなる。貧相な尾の遺伝子は絶滅してしまい、たちまちのうちに最高に精妙な尾の遺伝子型だけが残るだろう……。なぜそうならないのか。これを理解するには、関わる遺伝子の数を考える必要がある。

精妙な尾を生長させるのは大変である。クジャクの尾は大きく、しかもエネルギーと蛋白質を食うという意味で、極度にコストがかかる。完全な尾を生長させることができるのは、体内の成長代謝作用のすべてが完全に働いているときだけである。慢性的な病気にかかっていたら、尾の整形事業に注ぐべきエネルギーをそちらのほうに流用せざるをえなくなり、完全な尾を生長させることはできなくなる。つまり精妙な尾を作り出すためには、免疫システムがうまくいっている必要があるのだ。さらにまた、食物からエネルギーを吸収できなければ、長く引きずる尾を作るエネルギーがなくなってしまう。したがって完全な尾を作るには、胃腸がうまく機能していなくてはならないわけだ。同様に、食物を見つけたり、捕食者を避けるのが下手だったら、尾の整形に回すエネルギーの余力はなくなる。すなわち、完全な尾を育てるためには、脳がきちんと働いている必要がある。要するに、完全な尾を生長させるためには、きわめて多くの資源が必要なのであり、あらゆるものがうまく機能している必要があると言っても、過言ではない。このように精妙な尾を作るためには体内のすべてのシステムがうまく機能する必要がある以上、尾の状態には、体内の何らかのシステムにネガティブな効果を及ぼす遺伝子突然変異が間接的に現れるということになる。身体全体がどれほどうまく機能しているかを示す一種の履歴書、それが尾なのである。そのため、生物学者はこれを適応度指標形質（fitness indicator trait）と呼んでいる。

突然変異が遺伝子に生じた場合の最も一般的な影響は、そのシステムの働きがそれまでより少々うまくいかなくなることだ。理由は簡単である。たとえば、自動車の部品をひとつでたらめに変えるとする。スパークプラグでも、電球でもよい。少し大きくするとか小さくするとか、あるいはサブパーツの相対的サイズを変えるとかする。ひょっとすると、前よりうまく働くことになるかもしれない。もしそうなら、この新しいデザインは、自動車産業全体で採用されることになるだろう。だが十中八、九、そうはならない。それらの部品は、これまでの長年にわたるデザインの試行錯誤の結果であり、あなたはただでたらめにいじっただけだからだ。いじって悪くなるほうがはるかに多く、これまでよりよくなる可能性はほとんどない。でたらめになされた部品の改変は、当然その機能を悪化させるだろう。このように突然変異とは、たいていの場合、システムの機能を前より低下させるのである。

ゲノムには多くの遺伝子があり、それぞれがすべての世代で突然変異の小さなチャンスをもつとすれば、結果として突然変異は相当数にのぼるはずだ。私たちはだれでも、両親が精子と卵子を生産したときに生じた一つか二つの新しい突然変異をもっていると推定される。それに加えておそらく、祖先からの長い系統のなかで生じ、しかるべきときに集団から選別される運命にある五〇〇から二〇〇〇個の突然変異を携えていることだろう。突然変異荷重〔有害遺伝子がそれをもった個体に疾病や死をもたらし、負担となること〕は、概して不均等に分配されている。私たちが配偶者を選ぶときには、できるだけその負荷の少ない相手を選ぼうとする。子どもには人生において突然変異の少ないスタートを切らせたいと願うからだ。雌のクジャクが雄のクジャクの尾を見るのはこのためである。彼は言っているのだ——「ぼくをごらん。これを作り上げたんだから、有害な突然変異がどんなに少ないかわかるだろう。」そして事実、マリオン・ピートリーは、精妙な尾をもつ雄クジャクの子孫の尾が同じく精妙であるばかりでなく、生き延びるのにも成功していることを明らかにした。最上の尾をもった雄は、それによって自分の遺伝子の品質が全体としてすぐれていることを示しているのであり、それを彼は雄雌両方の子孫に伝えていくのだ。

クジャクの尾のような適応度指標形質における変異は、それを選り退けようとするきわめて強力な淘汰にもかかわらず持続する。それが持続する理由は、関わっている遺伝子の数が甚だしく多いからである。尾のディスプレイに影響しうる何千もの遺伝子のそれぞれがあらゆる世代で突然変異のチャンスをもつため、最も強い淘汰でさえ選り退けるのが間に合わず、先に変異のほうが訪れるのだ。すべての個体が有害な突然変異をもつ。競争は単純に、競争者のなかでだれが、もっている突然変異の数が少ないかということになる。

そうなると適応度指標形質の場合は、突然変異の力のみで集団の遺伝子変異が保持されることになる。これは変動淘汰のそれとは違ったタイプの状況である。変動淘汰においては、その形質をより多くもつことは、局地的状況いかんで時には良く、時には悪い。一方、適応度指標形質においては、多いことはつねに良い。ただ突然変異による負荷ゆえに、より多く手に入れることが困難なだけなのである。変動淘汰にとって、変異を導入しつづけるためには、適正な数——おそらく数十程度——の遺伝子が関わる必要がある。適応度指標においては何千もの遺伝子、ひょっとするとゲノム全体が、問題の形質に影響を与えるのに必要とされる。変動淘汰では、その形質が高い個体の子孫は、ある条件下では競争者たちよりも有利となり、別の条件下では不利となる。たとえば雌のフィンチにとって厚い嘴の雄と交配することは、干魃が近づいているときならば賢い行動だが、雨の多い年が間近に迫っているとしたら、愚かな行動と言える。逆に適応度指標形質が高い個体の子孫は、競争者にくらべてつねに成功するだろう。もしあなたが雌のクジャクだったならば、長期の天気予報とは関係なく、最も精妙な尾をもった雄と交配すべきなのである。

この本の中で私は、人間におけるパーソナリティの個人差が、適応度指標タイプのメカニズムではなく、変動淘汰タイプのメカニズムによって維持されていると主張する。これは論証された事実からというよりも、妥当性から行き着いた結論である。いくつかの理由から、パーソナリティは変動淘汰モデルに適すると考えられる。言うまでもないことだが、どのパーソナリティ特性についても、高いレベルがきわめて有利となる状況もあれば、逆に不利となる状況もある。パーソナリティ次元に沿った動きには、利益だけでなく、コストと利益の両方があるように思われる。事実、どの次元でも端までいくと決まって病的となる。これはクジャクの尾羽の精妙さにかかわる状況とはまったく違う。この場合は、多ければ多いほどはっきりと有利であり、少なければ少ないほどはっきりと不利なのだ。さらに、このあと述べるように、他の種においても、パーソナリティの違いにきわめて類似した遺伝性の特徴の多くが、変動淘汰によって維持されている。もちろん私の考えが間違っていることはありうる。ビッグファイブのひとつかそれ以上の特性には、ひょっとしたら別のタイプの淘汰が働いているのかもしれない。時間と、さらなる研究が、答を出してくれるだろう。

だからと言って、人間に適応度指標形質の例がまったくないわけではない。身体の対称性《シンメトリー》は明らかにそのひとつである。他の人にくらべてシンメトリカルな人は、より魅力的と見られ、より多くの性的パートナーを手に入れる。シンメトリーの度合が高いことには、何ら不利益はない。いくらでもどうぞ、というわけだ。シンメトリーの他に、もうひとつの適応度指標の例として、知能が挙げられる。これについて、ジェフリー・ミラーは説得力のあるケースを示している。一般に信じられているのとは反対に、知能とはただ「勉強ができる」ことだけを意味するものではない。知能検査は、反応時間と空間的能力とに相関しており、実際的な仕事や課題における達成能力を予測する。実はこれは、アカデミックな学習とはほとんど関係がないのである。知能検査が計測するのは、全体の神経システムがどのくらい機能しているかを示す、ある種の指標である。知能はまた身体的シンメトリーとプラスの相関をもつ。他が同じなら、より知的であることに何ら不利な点は知られていない。知能における個人差が遺伝的であるかぎり（重要なことだが、これは部分的にのみ正しい）、おそらくより知的であることはもっぱら、「神経システムの活動を損う突然変異が比較的より少ないこと」を意味するのであろう。したがって、知能を適応度指標形質と考えるのは妥当と思われる。だがパーソナリティ特性は、まったく違った特徴をもつ。

フィンチの嘴は形態学上の形質である。つまり身体構造における変異だということだ。では、動物の行動特性にも、遺伝的変異の証拠があるだろうか。実はたくさんあるのだ。あらゆる種類の連続的特性が、多様なタイプの生物について研究されてきたが、いずれも変異を示唆している。とくに人間に見られるものと似通ったパーソナリティ特性が、動物学者により、さまざまな種でつきとめられている。チンパンジーでは、ビッグファイブの全因子と類似した次元が見出されている。無脊椎動物のタコでさえ、外向性や神経質傾向といくぶん似た次元をもつ。むろん、人間以外の種でパーソナリティ次元をつきとめるのと、人間を対象とした研究とでは同じとは言えない。とりあえずは、防水紙に質問をプリントすることから始めなくてはならないのだから……。冗談はさておき、動物の場合は行動の自己評定が不可能だから観察に頼ることになるのだが、それ以外では、テクニックの多くは似ている。対象が人間であっても動物であっても、特徴とされる行動は長期にわたって一貫性があり、異なる観察者や異なる計測によっても信頼のおけるだけの結果が得られ、生態学的に適切な状況で、現実の結果に影響を与えるものでなければならない。動物のパーソナリティ特性が人間のそれと同じように遺伝的であることもまた、研究結果からときおり実証されている。

すぐれた動物研究は、人間の研究ではめったに見られないパワーをもつ。動物のライフサイクルは人間のそれよりもはるかに短いため、異なるパーソナリティ特徴が数世代にわたってたどる運命をフォローできるからだ。そのようにして得た結果は、パーソナリティが変動淘汰によるという解釈を強力にサポートする。つぎに二つの例を挙げて、詳しく考察してみたい。

そのひとつは、チャーミングでいたずら好きな小さな魚、グッピーを対象にした研究である。捕食者が存在するときのグッピーの行動には、それぞれ個体差があることがわかっている。グッピーにとって自然界の代表的な捕食者は、パンプキンシードという素敵な名前のついた、大きな食魚性の魚である。まずパンプキンシードを入れた水槽と透明な仕切板で仕切られた水槽に、グッピーを入れてみる。何匹かのグッピーは、他のグッピーにくらべて捕食者の近くまで泳いでいき、しばらくの間そこにとどまりつづける。この傾向は、テストを繰り返したときでも、個体間でかなり一貫して見られる。普通より用心深い気性をもっているグッピーもいれば、それほどでもない個体もいるのである。さて、リー・ドガトキンによる有名な実験はつぎのようなものである。まず、いま述べた隣接水槽課題を使って、グッピーを用心深さの点で高、中、低の三つのグループに分ける。つぎに彼は、人間の被験者にはとうていできないことをやってのけた。それぞれのグループからグッピーを取り出し、パンプキンシードのいる水槽に入れたのである。

三六時間後、高度の「用心深さ」をもつ二〇匹のグッピーのうち、一四匹がまだ生きていた。それに比べて中度に当たる二〇匹のうち、残っていたのは七匹であり、低度の二〇匹のうちでは、残っていたのは五匹だった。六〇時間後、低度のグループは一匹も残っておらず、高度の用心深さをもつグッピーは二〇匹のうち八匹が生き残っていた。ここでドガトキンが決定的に示したのは、捕食者の存在は用心深さに向かって強力に淘汰するということなのである。だがもしそうなら、今では用心深いグッピーしかいないことになるはずだ。彼らの無謀なきょうだいたちは、捕食者の昨日の朝食になったのだから。それではなぜ、いまだに個体差が残っているのか。

答は、これに関連して行われたグッピーの研究が提供してくれた。それらのグッピーは、トリニダード全域に生息する多様な集団から集められた。そのなかには、川の上流の、魚食性の侵入者が棲むには流れが狭すぎるあたりに棲むグループもあれば、逆に捕食者が潜む下流に棲むグループもあった。シリル・オスティーンらの発見によれば、異なる生息環境からのグッピーを捕食者のいる人工池に入れると、上流からきたグッピーは下流から連れてこられたグッピーより、捕食者に食べられやすい。下流のグッピーが食べられにくいのは、捕食者との経験から学習したためだと考えられるかもしれないが、実際はそうではない。グッピーを捕まえ、水槽で繁殖させると、下流の生息環境で暮らしていた親の子は、上流の生息環境からきた親の子よりも、捕食者のいる水槽で生き残る率が高いのである。当然、子には捕食者との経験がない。親が一度も見たことのないようなタイプの捕食者を水槽に入れたときも、結果は同じだった。

最も妥当な説明は、捕食者の存在に対して示す用心深さには遺伝による変異がある、ということである。下流の環境では、自然淘汰は、集団を高度な用心深さの方向に向けていく。だが上流では、淘汰はその方向には向かわない。逆に、用心深さとは逆の方向に働くようだ。捕食者と一緒に住んでいたグッピーたちを、捕食者のいない生息環境に移して新しい集団を作らせると、用心深さのレベルは、数世代のうちに低下するからである。たとえばあなたがグッピーだとしたら、捕食者を警戒している間は食べもせず、休みもせず、あるいは交配もしないだろう。だが、捕食者がいないのに四六時中警戒していたならば、適応度はもっとのんきな競争者にくらべて悪化するはずだ。あなたが優位に立てるのは、捕食者が現れたときだけである。

ここで当然ながら疑問が浮かぶ。なぜグッピーは異なる二つの種にならないのか。川の下流に棲む用心深いグッピーと、川の上流に棲んで捕食者への警戒行動をもたないグッピーと。ひとつの理由は、上流と下流の生息環境が隔離されていないからである。グッピーはこちらからあちらへと——とくに上流から下流へと——移動する。したがって、この二つのタイプはたえず混ぜ合わされているのだ。もうひとつの理由は、捕食者の存在は、けっして全か無《オール・オア・ナッシング》かの状況ではないということだ。捕食者の分布状況は時間とともに変わる。川の水量が豊かで、滔々と流れていれば、彼らははるばる上流まで出かけるかもしれない。このように自然淘汰は、警戒することの利益とコストがせめぎあいながら、時間と空間の移動とともにたえず変化する。その結果、グッピーの集団を全体として見れば、用心深さをめぐる遺伝による違いは広範に分布している。どのようなレベルの用心深さも、自然淘汰の支持を全面的にとりつけることはない——ただしそれぞれの個体にとっては、最適な用心深さのレベルはあるけれども。

第二の例は、庭先でよく見かけるシジュウカラである。このシジュウカラを使って、オランダのニールス・ディンゲマンセらは最近、パーソナリティとその効果についてきわめて詳細な一連の研究を行った。まずはじめに、彼らはこの鳥たちの探索行動に個体差があることを立証した。野生状態にあった鳥たちを捕え、パーソナリティ・テストと実質的に似た課題をやらせてから、それらを野外に放ったのである。テストはつぎのようなものだった。まず、人工の樹を五本立てた実験室内に、鳥たちを放つ。それから最初の二分間で、鳥たちが何回飛び回るかを計測した。「速い」探索タイプの鳥は「遅い」探索タイプの鳥よりも活動的に飛びまわり、より広い空間を飛翔した。遅い探索タイプの鳥たちはその場に釘づけになるという傾向が見られた。鳥たちには足環をつけて、あとで同じ個体を捕えたときに識別できるようにした。こうしてわかったことは、鳥たちの探索行動のタイプが長期にわたって首尾一貫していることだった。さらに興味深いことに、足環から、どの鳥が親であり子供であるか、きょうだいであるかを知ることができ、それによって探索特性の遺伝率を調べることができた。その結果、探索スタイルに見られる個体差のおよそ30〜50パーセントが遺伝によるということが判明したのである。これは、人間のパーソナリティ特性について見出される率と似た範囲に属する。

ここで疑問が生じる。人間のパーソナリティ特性が現実の生活で何らかの効果をもつのかという疑問と同じように、シジュウカラの探索スタイルもまた、実験室の外で効果をもつのだろうか。答はイエスである。ディンゲマンセらは、シジュウカラの野外での自然の行動について七年間にわたるデータを集め、野外に放つ前に探索課題でマークしておいたスコアとその後の生活を比較した。「速い」探索タイプの両親から生まれた子は、巣立ちの年になると、「遅い」探索タイプの親の子たちよりも巣から遠くへ飛んでいき、より離れた土地で新たに繁殖することがわかった。研究者たちはまた、研究サイトの外で生まれ、サイト内で繁殖に成功した鳥たちが、「速い」探索スコアをもっていることを立証した。このように、速い探索タイプの個体は遅い探索タイプの個体よりも、明らかにより大胆に、より遠く、そしてより広く探索する。

探索は、繁殖の成功にどんな効果をもつのだろうか。出された答は私の考えを後押しするものだった。つまり、「時と場合による」ということだ。研究者たちは、とくに一九九九、二〇〇〇、二〇〇一年の三年を採り上げ、パーソナリティが生存や繁殖とどう関係するかを調べた。二〇〇〇年はオランダ国内でブナが非常に多く種子をつけ、シジュウカラにとって幸運な年だった。もちろんいつもそうというわけではなく、事実、一九九九年と二〇〇一年には種子は少なかった。この厳しい二年、冬の間食料を手に入れる可能性は低かった。だが、どんな悪い状況にも明るい面がある。

冬が過ぎ、昼が長くなり始めたころには、周辺に生き残っているシジュウカラはそれほど多くはなかった。したがって、春のテリトリーをめぐる競争はいつもの年よりも激しくならなかったのである。逆に、二〇〇〇年という良い年には、冬の食料は比較的豊富だったから、競争も少なかった。だが、いつもよりはるかに多くの鳥が冬を生き抜いた結果、春にはテリトリーをめぐる競争は激しいものとなった。

一九九九年と二〇〇一年に「速い」雌がきわめてうまく生き残れたのは、その高度の活動性と攻撃性のおかげで、乏しい冬の食料をめぐる競争で優位に立ったからであろう。けれども二〇〇〇年には、「速い」雌は、生き残るのにむしろ不利となった。そのあからさまな攻撃性と活動性は、すべての者に豊富な食べものがあるときには、別に助けにはならなかったのだろう。一方、雄の場合は雌とは違う展開となる。ただし、二つの状況はたがいに補完しあっている。雄のサバイバルを決定づけるのは、春のテリトリー獲得競争である。二〇〇〇年という良い年には、きわめて多くの競争者がまわりにいたから、テリトリーの保持はまさに食うか食われるかの競争だった。そして、このとき最も成功したのは、「速い」探索スタイルをもった鳥たちだった。一九九九年と二〇〇一年という厳しい年では、春のテリトリーをめぐる競争はゆるやかであり、「速い」探索スタイルの雄は「遅い」雄よりも不利であった。おそらくこれもまた、不必要な攻撃性というコストのせいだろう。

そうなると、どの探索スコアが最適かは、その個体がどんな年に生まれたかというめぐりあわせに決定的に依存する。良い年に生まれた雄ならば、春の繁殖競争では「速い」スタイルが役に立つ。だが、悪い年ならそうはならない。悪い年に生まれた雌ならば、「速い」スタイルは乏しい資源をめぐる競争に役立つだろうが、良い年にはそれは障害となる。このようにたえず揺れ動く局地的変動を考えれば、自然淘汰が集団内部に単一の遺伝子型を固定することなどありえないのである。

ここでグッピーとシジュウカラの例を選んだのは、それらに見られるパーソナリティ次元がそれぞれ、前者は人間の神経質傾向に、そして後者は人間の外向性にきわめて似ているからである。ほかにも例を挙げることは可能だが、このグッピーとシジュウカラについてはきわめてすぐれた研究がなされ、多くの役に立つ原則を示している。いずれのケースにも遺伝性の行動次元があり、その一連の効果はある環境のもとでは繁殖に有利であり、別の環境のもとでは不利となる。いずれのケースでも、それらのコストと利益が何か、どんな環境で真価を発揮できるのかを見つけ出すことができる。では、人間のパーソナリティ特性のもつコストと利益についても、見つけ出すことは可能だろうか。この問いを心にとめて、ビッグファイブの本筋に戻るとしよう。まずは、抑えがたい外向性という特性を探ることにする。

3 放浪者――外向性

エリカ。五十五歳。静かな生活を送っている。イングランド南部の牧草地帯にある彼女の美しい山小屋風の家は、木々の多い小さな渓谷にある。鹿や野兎が彼女の隣人だ。朝の八時になると、彼女は小型のハッチバックを運転して一〇マイル先の別の町にあるオフィスに出かけていく。二人のジャーナリスト仲間と一緒に、そこで小さな雑誌を作っているのだ。同僚たちとはうまくいっている。だが仕事が終わると、彼女はまた静かな生活に戻る。ラッシュアワーの心配もなく車を運転して家に戻り、夕食を作り、テレビを少し見て、それから早めにベッドに入る。そして眠りの中で、本人言うところの、「映画のシーンのように鮮やかで、楽しく、心の秘密が明かされるような夢」を見るのである。

この生活ぶりからは、エリカが「外向性」という特性について教えてくれそうな人物とは思えないかもしれない。外向型の人間は野心に富み、やり手で、いろいろな意味で精力的なはずだ。だがエリカは、自分の人生の目標についてこう書いている。「自分ではたいして目標はもっていないような気がします。別に昇進を望むわけでもありませんし（ただ、みんなそうでしょうが、もっとお金があればとは思いますけど……）。恋をしたいとも思いません。」彼女の言葉で描き出されるのは、田園生活を楽しむ孤独で野心のない一人の女性の生活ぶりである。にもかかわらず、二年ほど前に受けたビッグファイブ評定で、彼女は外向性できわめて高いスコアを得ている。私はひどく好奇心をそそられた。彼女の人生のどこに、またどんな形で、外向性が現れているのだろうか。

最初の手がかりは、自分に野望がないことについて、彼女が説明している文章である。彼女はさらっとこう書く――「若いころ抱いてた夢はほとんどやり遂げました。」ではどんなふうに――。まず第一に、ずっとプロの物書きになりたいと思ってきたが、現実に今そうなっている。外国語を勉強して外国に住みたいと思っていたが、実際に一〇年以上もイタリアで暮らした。若者たちの多くがそうであるように、ポップ歌手になりたいと憧れていたが、他のみんなと違って挫折することなく、実際にその夢を実現した。イタリアではバンドを組んで歌い、本物のファンもできた。こう見てくると、彼女の一見静かな人生も、それほど静かとは思えなくなる。彼女は言う――関節炎にかかる前は、「いくら歩いても疲れ知らずで、馬に乗り、船を操り、自転車を走らせ、ヨガをやり、ダンスもしていました。」

要するにこの女性は、きわめて旺盛な活力と欲望をもった人物なのである。恋愛の面でもそれは明らかだ。彼女は率直にこう書いている――「思春期のころから、私の人生はずっと激しい性的欲求に駆り立てられ、支配されていました。夫と出会う前には、強迫観念にとらわれたみたいに、いろいろな人とやたらに関係をもちました。結婚してしばらくは、その問題は片づきました。数年の間、私たちはすばらしい性的関係をもちましたが、年をとるにつれて夫の性的衝動はゆるやかになりました……私たちはイタリアに渡りましたが、そのイタリアで私は愛人をもつようになりました。既婚のイタリアの男たちです。とくにそのうちの二人との関係は、長年にわたってつづきました。」

この濃厚なライフ・ストーリーに見られる共通点のないさまざまな要素——これらをひとつにくくるものは何だろう。旅をしたいという欲望、性的欲望、飽くことのない多種多様な活動、音楽の公演活動……この問いに答えるには、外向性の性質について、もう少し深く探ってみる必要がある。

外向性と内向性という用語は、一九二一年にユングによって導入された。彼は、世界に向かう心の指向性として、外向性-内向性という二者択一を見ようとした。ユングの外向型では、焦点は外に向かっている。内省よりも行動、ひとりで考えるよりも他の人々と一緒にいるほうを好む。したがって社交的で活動的である。内向型のほうは、焦点は自分自身の思考と感情に向かう。したがって、まわりからはいくぶん孤高と見られ、省察のための孤独と平穏を求める。こうした外向性の概念は、長い年月の間に変わってきており、同じ用語ではあるものの、ユングの心理学的類型《タイプ》も、さまざまな理由から、本書に述べるパーソナリティ特性と完全に一致してはいない。しかしながら、五因子モデルだけでなくあらゆるパーソナリティ理論に、ここで述べた「外向性」ときわめてよく似た――そして知的祖先のどこかにユングをもつ――次元がある。

世間一般の意識では、そして初期の心理学理論のいくつかでも、外向性の中心は社交性と見なされている。外向性で高いスコアを取る人が低いスコアを取る人よりも社交に多くの時間を費やし、話し好きで、パーティが好きであり、関心の的になるのを好むというのは事実である。彼らはやすやすと新しい社会的関係を形成する。たとえば、大学に進んだ学生たちについての調査で、外向的な若者たちは内向的な若者たちよりも、友だちを作るのが早かった。

ただし、外向性と社交性を同一視することには、慎重であるべきだ。第一に、人が内気《シャイ》なのは、外向性が低いためというよりむしろ、不安と神経質傾向が高いことによる場合がきわめて多い。外向性のスコアが低い人は必ずしもシャイではない。たんに社交に価値をおかないだけで、社会的なつきあいがなくてもたいして気にしない。外向性の低い人々がしばしば人づきあいが悪いと見られるのはそのためである。もうひとつ気をつけるべきなのは、外向性の高さと、良好な社会的関係を混同してはならないことだ。外向性とは、人がどのくらいパーティに行くのが好きか、どのくらいの時間を社会的活動で過ごすか、新しい友だちを作る才能があるかを予測するだけで、その友人関係がどのくらい良好であるかを予測するものではない。大学生を対象にした調査で、他の学生たちとの協調性を予測できたのはビッグファイブのもうひとつの次元、調和性であって、けっして外向性ではなかった。実際のところ、外向的で同時に調和性の低い人物は、社会的にきわめて問題になることがある。彼らはパーティに行き、酒を飲んで酔っぱらい、果ては初めて会った人と大喧嘩するといった行為に非常な快感を覚えるのだ。外向的で調和性の低い人間は、ためらうことなく他の人々の前で完全に相手を無視できるし、それで自分が有利になると思えば、むしろ楽しんでその行為をするかもしれない（エリカがそうだと言っているわけではない。彼女の調和性のスコアは高いのである）。

それでは、外向的な人間のもつ社会的行動への関心とは、どんな性質のものなのだろうか。それを知るには、同じ傘の下に何が入っているかを見るのが良さそうだ。外向性には、社交のほかにいくつかの面が含まれているからである。外向的な人は、セックスと恋愛を楽しみ、野心をもつ（もちろん、彼らの野心の内容はきわめて特徴的であるが）。さらに、ステータスを手に入れることや、社会の注目を集めることに喜びを見出す傾向がある。彼らは名声や金を手に入れるために猛烈に働く。もっとも、レジャーの追求にも熱心だ。活発なスポーツや旅行、新しい経験をするのが好きである。総じて彼らは、目標追求のためにあり余るエネルギーをもった、きわめて活動的な人々と見なされる。この外向性のなかに、いわゆる「衝動性」がどの程度含まれているかについては、長年にわたって議論がなされている。ここで言う「衝動性」とは、事前に考えもせずに個人的、金銭的なリスクを引き受ける、賭け事やドラッグに手を出す、法をもてあそぶ、あるいはまた人生に少しばかり危険を求める、といった行動である。この種の行動は、外向性ともうひとつの次元、誠実性との共有領域に含まれる。ただし、依存症のような有害なものの大部分については、誠実性のスコアのほうが予測値としてすぐれている。実を言えば、この二つの次元には、はっきりした概念上の区別がある。それについては、この先明らかにされるであろう。

最後に、外向性に属する傾向のなかで、事実上他のすべてにとってキーとなる一群の傾向がある。外向的な人はポジティブな情動を多くもつのである。外向性のスコアが高い人は、低い人にくらべて日常生活のなかでたえず、喜び、欲望、熱中、興奮といった状態を示すことが多い。そのことは、彼らの書く文章からも見てとれる。たとえばエリカは、いまの比較的おちついた生活について書いているときでさえ、どんなに自分が日々の決まりきった出来事に「喜びを覚えるか」を語る。彼女は「家の明るい黄色《パターイエロー》の壁に月の光が投げかけるレース模様を愛して」いる。仕事の上でも、「すばらしい」同僚たちと過ごす時間は「宝石」のようである。家でこまごました仕事をしたり、電話でおしゃべりして時間を過ごすというのは、あまり刺激的とは思えないかもしれないけれども、「どうやら私はそれがものすごく好きみたい」だという。土曜日の朝の彼女の気持ちを描写しようとしたら、どれほど声を大にしてもし足りない――「ベッドに横になったまま本を読んだり、コーヒーを飲んだり、うつらうつらしたりするのは最高です！」彼女の文章には、ポジティブな情動についての描写が一面にまき散らされている。私の調査に参加したことさえ、彼女にとっては「すばらしい機会」である。文章の最後を彼女はこう結んでいる――「わたしの人生の基調はユーモアと楽天性だと自分では思うのですが、はたしてこの気分はうまく伝わったでしょうか。」

ポジティブな情動とは何か。それらの情動はいずれも、何らかの望ましい資源を追求したり獲得したりするのに応じて、活性化する。欲望が呼び起こされ、私たちに望むものを追求させる。その資源を手に入れることを予期して、興奮が増す。手に入れたあとには喜びがやってくる。いずれも、ものごとを手に入れる、あるいは手に入れようとして動くことに関わっている。だが、どんな「ものごと」なのだろう。ポジティブな情動の対象として普通に繰り返し見られるのは、潜在的に重要な他者からの関心（新しい友人を作るなど）、ステータス（昇進を手に入れる、もしくはベストセラーを書く）、物的資源（昇給）、新しい配偶者の獲得、新しい技や仕事をマスターする、あるいは、ただたんに楽しい場所にいることなどである。ポジティブな情動を引き出して働かせるこれらの事柄のすべては、誘因《インセンティブ》と見なされる。

世界には二種類のインセンティブがある。条件づけによらないインセンティブとは、報酬がもたらされることを人が（そして動物も）生まれつきごく自然に知っているものだ。ラットに向かって、空腹なら食べるようにとか、水よりも砂糖水のほうを好むようにとか、教える必要はない。子供に向かって、友だちをもつのは素敵だよと教える必要もなければ、（同性愛者でもないかぎり）若者に向かって異性っていうのは妙にエキサイティングだと教える必要もない。こうした条件反応によらないインセンティブは、私たちに温かい、元気の出るような感情を与える。そして、感情と結果のこの組み合わせは学習されるものではない。それは生得的なものであり、進化によって植え込まれてきた。思うにそれは、何世代にもわたり、空腹時に食べることを考えると興奮する個体のほうが、ライバルよりもうまく生き残れたからであり、また、交配のことを思うと興奮する個体のほうがよりいっそう繁殖に成功したからだろう。他のいずれの無条件刺激についても同じことが言える——ステータスの獲得だろうと、ビジネスパートナーを得ることだろうと、技術をマスターすることだろうと。

これとは別に、条件づけによるインセンティブがある。パブロフの有名な犬を思い出してほしい。ベルの音と組み合わせて餌をやっているうちに、とうとう犬たちはベルの音だけでよだれを流すようになる。ベルの音が食べ物の前ぶれであることを学習したからだ。本来は意味のない刺激であったベルの音は、条件づけによって誘因価、すなわちインセンティブとしての価値をもつようになった。きわめて多くの場合、人間のインセンティブは条件づけされたものであり、複雑な文化的要素がその条件づけにからんでいる。たとえば、ほとんどの人は金《マネー》を強いインセンティブと見るが、これは無条件の結びつきではありえない。金のもつ利益と何らかの自然なインセンティブとが、条件づけによる組み合わせを作り上げたということなのである。この場合の自然のインセンティブとは、財やサービスを消費するときの生得的快楽だと思われがちだが、少なくとも豊かな先進諸国ではこれはまったく事実と違う。さまざまな分野で立証されているように、私たちの金への関心——そしてその金で買う物質的財への関心——は、主として相対的なステータスの指標なのだ。多くの金を持ち、それを証明する多くの物質的財を持った人々は、そうでない人々よりも高いステータスとヒエラルキーにいると認められる。社会的ステータスは、プロテスタントの労働倫理と過剎那な消費文明《コンシューマリズム》の両方をつなぎとめる、条件づけによらないインセンティブであるようだ。

　そうなると、脳のポジティブな情動メカニズムは、環境のなかで利用できるインセンティブ——生得的なものでも条件づけられたものでも——のキューを検知し、それを手に入れる方向へと私たちの行動をまとめ上げるわけだ。それは私たちを覚醒させ、関心を抱かせ、報酬を手に入れるのに必要なことをさせようとする。それが申請書に記入することだろうと、彼女を口説くことだろうと同じことだ。そのようなメカニズムは、人間だけに特有のものではない。アメーバが何らかの化学成分を追って食べ物にたどりつき、それを摂取するとき、それはポジティブな情動に基づく行動だと言えるかもしれない。感覚のある生物はすべて、環境内で良いものごとを見つけて追いかけるためのある種のシステムをもっており、人間のポジティブな情動のひとそろいは、この種のものが高度に発達したシステムにすぎない。

　このように外向性に含まれる多様な行動を説明するものは、強い反応性をもつポジティブな情動である。具体的な例を挙げて、この理論を肉づけしてみよう。すでに見てきたように、エリカは人生において多くのポジティブな情動をもってきた。もう一人、私に報告を送ってくれているビルも同じで、きわめて外向性のスコアの高い人物である。五十代、スカンディナビア系で、アメリカ中西部に住むブルーカラーの家族の出である。事業で大成功し、四十歳で数百万ドルの財産を作り上げた。彼はこう語る——

あの当時の私は、金と力を誇示するための物は何でも持っていました。農場、馬、ポルシェ、森、そして近くの都市にはペントハウス。

やがてビルは、本人の言葉によれば「うっかりして一年足らずで何もかもなくして」しまった。結婚生活もまた終わりを告げたが、本人はあまり気にしていないようだ。現在はコロラドにあるホテルでスキーのインストラクターとして働き、部屋と食事を提供されている（きわめて多くの外向的な人がそうであるように、ビルもまたアクティブな身体的素質をもっている）。物質的世界での盛衰を経てきたいま、もはやその世界での成功がビルを引きつけることはないのではないかと思うところだが、そんなことはまったくない。彼は言う――

私にはひとつ目的があります。それはもう一度金持ちになることです。私にはそれができる。金持ちの生活がどんなにすばらしいかわかっていますからね。人生なんて、金がなければ生きる値打ちはありません……引退なんかしたくないですね。死ぬまで働きたいと思っています。いまはロシア語を勉強しているところです。ロシアの女性は世界一美しいし、生き生きしていますからね……いつかウクライナ出身の女性と結婚して、彼女に良い生活を見せてやりたいと思ってます。

一度は頑張って百万長者にのし上がり、それからすべてを失い、またもや何もかもはじめからやり直そうとしているこの人物。彼の楽天主義、断固たる決断力、そして捨て身の蛮勇ぶりには、感服せざるをえない。何よりも、彼がそうしようというのは、必要に迫られているからではないのだ。ビルにとっては、チャレンジを引き受け、報酬を手に入れることが猛烈に楽しいのである。つぎのビルの文章は、外向型男性のみごとな信条である。

闘いに勝つほど素晴らしいことはありません。私は危険を冒すのが大好きなのです。人々の前で、人生がいかにすばらしいものになりうるかを話すのは最高です……これまでの人生で私にとって最大の成功と言えるのは、あるビジネス関係の大会で二五〇〇人の聴衆の前でスピーチをし、拍手を浴びたときのことでした。あの拍手はいまだに私の耳の中で鳴り響いています。

インセンティブに対するエリカの強い反応が、彼女をイタリアやロックミュージック、そして地中海の愛人たちの腕へと送り込んだのとまったく同じように、インセンティブに対するビルの強い反応は、彼を駆り立て、猛烈に仕事をさせ、ポルシェを運転させ、美女に言い寄らせ、ビジネス会議で聴衆の前に立たせたのだった。これらはいずれも報酬――生得的なインセンティブによるものだろうと、条件づけによるものだろうと――である。したがって普通の人ならだれでも気分の高揚を手に入れることだろう。それにしても、必ずしもビルが得たほどの強い快感を得ることはないはずだ。

ここで、ビルの情動システムがこれほどまでには反応しやすくなかったと想像してみよう。もしポルシェや森（！）を持つことを考えても、得られる快感がそれほど大きくなかったなら、それらを手に入れるために、こんなにも多くの時間を費やそうとはしなかっただろう。エリカにしても、ロマンスから得る快感がそれほど大きくなかったなら、ややこしい不倫関係のもつれに伴う危険と代償を避けたかもしれない。マイナーなイタリアのポップスターになることは容易ではなかっただろう。その時期の彼女は、大変な日々を過ごしたはずだ。頭を下げて回るのは屈辱的な経験だっただろうし、少なくとも初めのうちは稼いだ額よりもっとたくさんの金がかかったことだろう。快感がよほど大きくなかったら、それだけのことをする価値はなかっただろう。

ビルとエリカのポジティブな情動がきわめて反応的だとすれば、それほど反応的でない人の人生はどんなものだろうか。当然ながら、彼らの情動はそれほどポジティブではないが、だからといって、彼らの人生がネガティブな情動で満ちているわけでもないのだ。喜びと興奮の反対は、恐怖と悲哀ではない。それはたんに、喜びと興奮の欠如——言うなれば情動の平板化——である。人が人生においてもつポジティブな情動は、ネガティブな情動の多い少ないを予測させるものではけっしてない。このことは多くの研究によって明らかにされている。どれほどの喜びにも、またどれほどの涙にも煩わされない人がいる一方で、人によってはすさまじい高揚とそしてきわだった落ち込みとを経験する。したがって、インセンティブに比較的無反応だからといって、必ずしも悲しみの多い人というわけではない。ただ世間一般の贅沢な楽しみに対して、少しばかり超然としてはいるだろう。彼らもまた他の人たちと同じように、時にはセックスとかパーティとか、あるいはまたステータスなどに惹きつけられるだろう。だが彼らがそこから得る快感は比較的わずかなため、あえてそれを手に入れるために頑張ろうとはしないのである。エコノミストが言うように、ある活動からの収益が減って、コストがそのまま変わらなければ、収益率が多かったときよりもその活動を控えるものだ。したがってインセンティブへの反応が比較的小さければ、少しばかり余分の金や名声を手に入れるために今よりあくせく働いたり、パーティに出るのにわざわざ街はずれまで車を走らせたり、エロティックな実験に手を出してうまくいっている結婚生活を壊してしまうといったことに、それほど心をそそられることはないだろう。

調査に協力してくれている通信者《コレスポンデント》のなかで、外向性の低い何人かは、インセンティブに対するこうした慎重なアプローチをはっきりと示している。アンドルーもその一人である。彼は二十五歳、優秀な成績でコンピュータ・プログラミングの学位を取った。今は両親と一緒に暮らしており、良い友人も何人かいる。友人たちとは毎週顔を合わせ楽しく過ごすことが多いが、たまに数カ月も会わずにいることがある。だからといって別に気にするわけでもない。旅行は、これまでスコットランドに二、三回行ったことがある程度だ（住んでいる場所から車で一日かかるくらいの距離である）。自分で言うように、「いろいろな土地を探訪したいと思うときもあるし、そうでもないときもあります。」

アンドルーの専門のコンピュータ・プログラミングは、今日の経済界で需要が高い。しかも、彼は明らかに才能があるようだ。コンピュータで電子音楽を作り、操作しているほどである。だが彼は、作った音楽にせよ、コンピュータ・プログラミングにせよ、売り込んで金儲けしようとか、有名になろうとかしているわけではなさそうだ。遅かれ早かれ重要な仕事に就くだろうが、とくに期待しているわけでもなく、冷静である。彼はこう言っている——

実際、楽しみにしていることなどあまりないのです。安定した職を見つけたら、両親の家から出てどこかで暮らし、ガールフレンドとつきあい、必要のない物を山のように買いこみ、たぶん結婚して子供を作り、彼らにまた物を買い……それからたぶん、死ぬんでしょうね……ま、そんなところです。

このコメントで目につくのは、これがきわだってストイックなところである。ここからは、内向的な人間のモチベーションについてきわめて多くのことが読み取れる。アンドルーが少々陰気で活力に乏しいと性急に決めつけるのは、間違っていると思う。うつのひとつの側面が無快感症《アンヘドニア》——通常は快である事柄に快を感じない状態——であることは、確かである。アンヘドニアと外向性の低さとの間には、はっきりした相関がある。ただしうつでは、アンヘドニアは大量の恐怖と不安にくるまれている。アンドルーにはこれらのいずれも見られない。ネガティブな情動に捕らえられてはいないのだ。人々が汗をかいて手に入れようとするもの――物質的財産、結婚、キャリアなど――が良いものだということは、彼にもはっきりわかっている。だが彼にとって、そうしたものは他の人たちほどには効果をもたないのである。向こうからやってくれば受け取る、しかしやってこなくても、たぶん苦にしないのではないか――近くにいれば友人たちと会うが、いなくても気にならないのと同じように。どちらにしても彼は完全に満足した生活を送ることができる。内向性の人はある意味で、世間の報酬から超然としており、それが彼らにおびただしい力と、報酬からの独立を与えるのである。

どうあってもまた金持ちになりたい、もう一度鳴り響く拍手を耳にしたい、かたわらにウクライナの美女をはべらせたいと切望するビルとこのアンドルーとの対照は、これ以上ないほどはっきりしている。もう一人、ビルとはっきりした対照をなす内向型の人物に、メリーランド州ベセスダ出身の研究者で、デイヴィッドという名の男性がいる。彼は最先端の生化学研究に携わっていたが、最近になって研究所が財源の確保に失敗したため、教育とメンテナンスの分野に少しずつ押しやられている。今ではもとの研究職に戻るチャンスはほとんどない。それどころか、まもなく職さえ失うことだろう。これがビルのような人間だったら、どんなに打撃を受けるかは想像に難くない。だが、デイヴィッドの反応はこうだ――

近い将来、職を失うことになると思うのですが、私としてはこれをチャンスと考えています。そうなれば自由を手にすることができますし、生存競争から解放されて、どちらかと言えばどうでもいい金やステータスとひきかえに興味のない仕事をしなくてもすむのですから。

金やステータスといった、普通なら大きなインセンティブのある目標も、デイヴィッドにとっては、そのためにわざわざ闘う気にさせるほどの魅力はない。そのかわりに彼は、観察し、考え、学び、庭を育て、そしてまったく幸福なのである。

ここでようやく私たちは、外向性とは何かということの核心をつきとめたことになる。すなわち外向性とは、ポジティブな情動の反応に見られる個人差である。外向性のスコアが高い人は反応性が高く、仲間、興奮、達成、賛美、ロマンスなどの快感を手に入れるために必死になる。一方、スコアの低い人はポジティブな情動システムの反応性が低いため、こうしたものを手に入れることの心理的利益も少ない。両者にとってそれらを手に入れるためのコストが同じだとすれば、内向的な人は外向的な人ほどその獲得に心をそそられないのである。

いま述べた外向性の本質については、これを証明する科学的根拠はきわめて多い。そのひとつにつぎのような研究がある。実験の参加者は数分の時間を与えられ、これまでに出会ったひどい経験か素敵な経験かのいずれかについて書くように命じられる。そして書く前と書いたあとのそれぞれの時点で、自分がどう感じているかを報告する。素敵な経験について書いたあとでどれほど気分が良くなるかは、彼らの外向性のスコアで予測できた。さらに追跡調査で、参加者たちは映画の一場面を見せられた。面白い場面、恐ろしい場面、悲しい場面、不快な場面のいずれかである。ここでも各自の外向性のスコアは、面白い場面を見たあとどれほど良い気分になるかを予測した。スコアの高い人は気分が大きく高揚したが、スコアの低い人にはそれほど目立った変化はなかった。ただし外向性のスコアは、ネガティブな場面を見たあとの気分の変化は予測していない。つまり、外向性は情動的反応全般に関わるわけではないのである。外向性が関わるのは、報酬もしくは快の刺激タイプに対する情動反応だけなのだ。

この見解は、脳画像診断《ブレイン・イメージング》によっても確認されつつある。最近のある研究では、参加者はMRI装置にかけられ、その間、ネガティブな情動を連想させる絵（泣いている人々、クモ、銃、もしくは墓地など）か、もしくはポジティブな情動を連想させる絵（幸せなカップル、子犬、アイスクリームなど）かのどちらかを見せられる。fMRIスキャナーは、酸化ヘモグロビンからの信号を追跡することによって、時間的、空間的にかなりの解像度で脳のさまざまな部分の代謝活動を計測することができる。研究の結果、いくらかの脳の関係領域では、イメージがポジティブなときの代謝活動の増加の程度と外向性のスコアとが、プラスの相関をもつことが明らかになった。子犬を見せると、外向性のスコアの高い人は、これらの領域での代謝活動がきわめて増加し、スコアの低い人は少ししか増加しなかった。これとは別のいくつかの領域では、ネガティブなイメージに反応して代謝活動が増加したが、この増加が大きくなることを予測したのは外向性のスコアではなく、別のパーソナリティ特性である神経質傾向のスコアであった。

人間以外の動物についてのリサーチもまた、ポジティブな情動を引き起こす脳のメカニズムの解明に役立っている。哺乳動物の脳の奥深くには、腹側被蓋野や側坐核など、さまざまな構造体からなるネットワークがあり、そこではニューロンが、たとえば砂糖溶液の噴射といった目先の報酬のキューに反応して発火速度を増す。これは脳の中に小さな測定用プローブを埋め込む方法によって、明らかにされた。もちろん、この方法は人間には不可能である。だが現在ではｆＭＲＩを使って、非侵襲的に脳内領域の活性化を見ることができる。ラットを対象とした実験と同じように、参加者の舌に甘い飲料水（クールエイドなど）を噴射すると、間近な報酬への期待で脳領域における活動の増加が見られるのだ。とくに大きな増加が見られた人々は、点数を競うコンピュータゲームでリスクを好むようなタイプでもあった。さらにまた、脳のこの領域やそれにつながる領域では、砂糖だけでなく金や魅力的な異性の顔など、他の多くのタイプの報酬に反応して、活動の増加が見出される。

ほぼ五〇年も前から知られていることだが、ラットの脳におけるこれらの領域のひとつに小さな電極を埋め込み、それをレバーにつなぐと、ラットは食べることも飲むこともせずに、刺激を引き起こすレバーを四六時中押しつづける。中脳の報酬系構造体は、大脳皮質の内部と下部にあるいくつかの基幹構造に突き出している。したがってこれらは、決定に強い影響を及ぼす能力をもつ。中脳報酬系には神経伝達物質のドーパミンを使うニューロン集団も含まれており、この結びつきによって、ドーパミンが脳の報酬に関わる化学物質として知られるようになった。この説明は、たしかに単純化されすぎてはいるけれども、現実にドーパミンと誘因動機《インセンティブ・モチベーション》づけとの間にははっきりした関係がある。コカインのように、ドーパミン・ニューロンを刺激する効果をもつ薬物は、快と多幸感《ユーフォリア》の感情を引き起こし、きわめて習慣性になりやすい。一方、ラットを使って中脳のドーパミン活動を増加すると、性的活動、探索活動、そして食物を捕らえる行動を増加させる。これらはいずれも報酬へのアプローチである。人間の場合、中脳にドーパミンに似た効果をもたらすドラッグへの生理的反応は、外向性のスコアと直線的に相関している。*

以上からつぎの結論が導かれる——外向的な人を外向的たらしめるものは、腹側被蓋野、側坐核、およびそれらの投射路を含む、一連のドーパミン系脳領域における高い反応性であり、それが環境内に報酬のキューがあるときに私たちを興奮させるのである。この結論にはいくつもの根拠がある。外向性のスコアが低い人の場合、このシステムにおける反応はより少ないため、スコアの高い人ほどには、報酬のキューを必死で追い求めたりはしないのだ。それにしても、なぜある人々はこれらの領域において他の人々よりも高い反応性をもつようになるのだろうか。

すでに述べたように、外向性のスコアに見られる個人間の違いは、そのほぼ半分が遺伝によるもののようだ。そうであれば、このシステムを作り上げるのに役割を果たすいくつかの遺伝子がある

*脳の刺激報酬はまた、精神病および神経系疾患のために脳の治療処置を受ける患者に対して、ときどき実験的に適用されてきた。結果はどれもきわめて類似しているようである。多くの患者は快感を報告し、高レベルの刺激を選んだ。

はずであり、その遺伝子の変異体が、反応のレベルの多様性を生み出しているにちがいない。ドーパミン回路がインセンティブに駆りたてられた行動に関与していることを知って、研究者たちは遺伝子工学的手法を用いて、ドーパミン活動の有効レベルを大きく高めたマウスを作った。マウスは異常に興奮し、空っぽのケージの中を狂ったように走りまわった。逆に、遺伝子工学的にドーパミンを作る能力を欠くように作られたマウスは、正反対の行動を見せた。彼らは空腹であっても食べ物や飲み物に近づこうともしなかった——人工のドーパミン前駆物質を注射されないかぎりは。

つぎの段階は、人間に、ドーパミン・システムの構築に関わる遺伝子に自然発生的な変異体があるかどうかを見ることだった。人々を、少しでもホットなネズミのほうに、あるいは不活発なネズミのほうに近づけるような変異体があるとすれば、集団における外向性の個人差がいくぶんか説明できるかもしれない。一九九六年に発表された二つの研究がまさにその答を示した。ドーパミンD4受容体（DRD4）と呼ばれる遺伝子は、ドーパミンが化学結合する受容分子の遺伝暗号を指定し、ニューロンの間に信号を通させるものだが、この遺伝子は個人によってかなり違いがある。DRD4には48塩基対の繰り返し配列が存在するが、繰り返しの数は必ずしも同じではない。配列を二回しか繰り返さないバージョンもあるが、一一回も繰り返すバージョンもある。最もよくあるフォームは四回と七回である。人間はそれぞれDRD4の二つのコピーをもって生まれてくる。ひとつは母親から、ひとつは父親からで、したがって二つが同じバージョンとは限らない。

二つの研究はともに、遺伝子の「長い」フォーム（すなわち、配列を少なくとも六回繰り返すもの）のひとつかそれ以上のコピーをもった人々が、外向性に関わるパーソナリティ特性でより高いスコアをもつことを示した。二つの研究で使われたメソードとサンプル集団は、まったく異なっているため、見出された現象は間違いのないものであり、一般性をもつと考えられた。だがこの現象は、このあと行われたすべての研究で確認されているわけではない。相当数の研究でこれと同じ関係が再現されたが、他の研究は見出せないでいる。現時点でのコンセンサスは、DRD4における変異と外向性に関わる特性との間には、何らかの関係が存在するというものである。たとえば最近発表されたのは、人間がもつこの遺伝子の変異体から性的欲望の強さを予測できるという報告である。ただし、DRD4遺伝子の反復回数だけではパーソナリティに与える影響はきわめて小さい。すべての研究で結果が得られなかったのはそのためである。さらにまた、この遺伝子の異なる部分と部分の間、そしてこの遺伝子と他の遺伝子の間には、複雑な相互作用がある。これらがDRD4の反復回数とパーソナリティ特性との間の直線的な関係をわかりにくくしてしまうのだ。だからといって、何ひとつ驚くにも当たらず、失望させるものでもない。当然予想されるように、外向性のような特性は、複雑な相互作用をもつ比較的多数の遺伝子における個体差に影響されている。要は、その個体差が明らかに遺伝によるということであり、ドーパミン作動性のインセンティブシステムがはっきりと関わっているということなのである。

今日見られる分布の状況から、反復回数の多いDRD4の長いフォームは数千年も前に生じ、自然淘汰の利益をもたらす変異体として頻度が高くなってきたものと思われる。ただ、もし長いフォームがその長い時間を通じてつねに利益をもたらしていたならば、一貫してずっとふえつづけていただろうし、人類は今ごろまでには一人残らず二つの長いフォームをもっていたことだろう。ところが現実はそうではない。おそらく長いフォームの持ち主は、ときどきは有利であり、ときどきは不利だったのだろう。

このことは、さらに広範な疑問へと私たちを導く。進化はどのようにして外向性の分布を形成するのだろうか。外向性の高い人が成功する多くの理由については、これまで見てきたとおりである。彼らは（ビルのように）、心からの喜びをもって大きなチャレンジを引き受け、ときには成功して、ステータスと富を手にする。一生の間にもつ性的パートナーの数と外向性の間には、多少とも直線的な関係がある。外向性の高い人は低い人よりも、（エリカのように）軽い気持ちでセックスや情事に関わる傾向があり、同時に結婚の回数も多い。このことは人類の祖先にとって、生涯に残す子孫の数の多さにつながっただろう。これは男性にとってはとくにそうだ。適応という意味では、男性は女性よりも複数のパートナーをもつことから利益を得るからである。このように、進化の歴史の最新段階において、外向性のスコアの高い人がしばしば成功してきたかもしれないと考える理由はたくさん見出せる。

だがここで、第2章で見てきたシジュウカラの例を考えてほしい。すばやい探索者であることは、つねに良いことではなく、ある生態学的状況では有利な結果をもたらすが、別の状況では決定的に不利となった。人間の外向性についても、これと似たことは起こらなかっただろうか。一般論として、人々が何らかの新しい報酬を追いかけるとき、彼らはすでに手にしているものを求めはしない。ビルは大金を必死で作り上げたが、それにかかった年月よりもはるかに短い時間で全財産を失った。彼は失った理由をあまりはっきり述べていないが、私には想像できる。さらに大きな目標を追い求めることに熱中して、財産の運用に慎重さを欠いたのだろう。もっと慎重な人間なら、すでに持っているもので残りの生涯を安楽に暮らすことができたはずだ。むろんもっと慎重な人間なら、そんな大金など作ることはなかっただろうが。

今度はエリカの生き方を考えてみよう。彼女の夫は、妻の不倫にきわめて寛容だったにちがいない。たまたま彼らには子供がいなかったが、もし子供がいたならば、エリカの派手な恋愛遍歴からして、その子たちが父親と一緒に暮らせないというリスクはあったはずだ。外向性のスコアの高い人は情事や結婚をたくさんする傾向があるから、彼らの子供たちは義理の親と住む可能性が圧倒的に大きい。子供と義父・義母との関係は、知られているかぎり子供の虐待を予測する最大の要素であり、また親の離婚という要素は、子供の将来に無視できない有害な影響をもつ。外向的な人の華やかだが不安定な生活は、このように現実のリスクを伴うのである。*

時によってそのリスクははるかに直接的なものともなりうる。外向的な人はいつも突っ走ってお

*両親の離婚と子供のその後の成り行きについてのリサーチの解釈をめぐっては、論争がある。離婚が子供のその後に影響を与える原因なのか、それとも家族に特有なパーソナリティの特徴の反映であり、それが子供の間に問題を引き起こすのか、それを実証するのは困難である。

り、身体を動かすのが好きで、危険の多いことをしがちである。バスの運転手の調査では、事故を起こしたことのある運転手は外向性のスコアが普通より高いことが判明した。成人を対象とした私自身の調査でも、事故や怪我で入院したことのある人は、そうでない人々よりも高いスコアを得ていた。先に述べた「ターマイト」の生活史の研究において（42ページ参照）、若いときの楽天的傾向（外向性の代替尺度と考えられる）は早死を予測していた。研究者たちはその理由のひとつとして、酒と煙草の摂取量が普通より多いことを挙げており、あとは彼らのライフスタイルにおける不明の要素に帰している。おそらくその要素とは、スリリングな報酬を追求して忙しく走り回る彼らの生き方であるに違いない。

そうなると外向性のコストと利益は、精妙に釣り合いがとれていると言える。人類の祖先のなかで、外向的な人々のいくらかは何らかの状況のもとで、おそらくきわめて成功したことだろう。そしていくらかは無謀な生き方をし、厄介な終わり方をしただろう。それにくらべて内向的な人は、つねにより慎重だった。こうして、適応という見地から見たこの特性の最適レベルは、局地的なさまざまな状況――ほかの皆が何をしているかを含め――に合わせて変動してきたのだろう。遺伝学者のユアン-チュン・ディンらは、局地的に資源が枯渇したり、資源の変化が速やかな場所では、自然淘汰は落ちつきのない探索傾向をもつ個体に有利に働いたと見る。だが、資源が豊富で環境が安定していた場所では、それは不必要で危険な気質であっただろう。この場合はより慎重な個体のほうが成功したかもしれない。

この興味をそそる理論は、人類史のなかでは最近の時代に関わっている。一五万年前、私たちの祖先はもっぱら熱帯アフリカの諸地域に生きていた。今から一万年足らず前の農業革命の時期になると、人類の足跡はすべての大陸に見出された。ディンの示唆によると、この拡大を導いたのは、落ちつきのない放浪者タイプだったという。生まれ育った土地からはるか遠く離れた土地に新しい可能性を求めることで、故郷における資源の枯渇に対応していったのである。大変面白いことに、DRD4の長いフォームが優勢になるのは、定住型社会より遊牧型社会のほうであり、この数千年間で大移動を行ってきた南米原住民のような集団では、とくにそれが高いという。このパターンが示唆するのは、放浪者であることが有利な状況では、DRD4の長いフォームが利点をもつということなのである。

だが、外向性などの特性における個体差のほとんどは、集団間というよりは、集団内変異である。たいていの場合、外向性の最適レベルは、周辺数キロないし数十人というきわめて至近の枠組み内での社会的ニッチと機会とに依存してきたのだろう。インセンティブに駆り立てられた行動のコストと利益がたえまなく振れ動いていくなかにあって、私たちのインセンティブに関わる遺伝子型は、けっして単一で均一のものに落ちつくことはなかった。

この振幅が、本書の中心テーマに関わってくる。外向性の正しいレベルとか間違ったレベルなどというものはない。本質的に良いレベルとか、あるいは悪いレベルとか、そんなものもないのだ。エリカの生き方は、アンドルーの生き方より価値があるわけでもなく、無価値なわけでもない。あるレベルをもつというのは、人が人生の選択をするときの背景の一部にすぎない。この話題については、後の章で立ち戻るとしよう。自分の外向性のレベルが今のレベルよりも高かったら、あるいは低かったら……そんなふうに願うのは確かに心をそそられるかもしれないが、意味のないことだ。たとえばこの私が、一七七七年にパプアニューギニアに生まれていたらよかったと思うことに、何の意味があるだろう。私としてはただ、自分が一九七〇年に、ここイングランドで、今のままの外向性スコアを携えて生まれたことを、納得して受け入れなくてはならない。だがそうではあっても、外向性の性質を理解することには価値がある——自分が生まれてきた時代を理解することが重要であるのと同じように。人生のある時点で他の人と長期の関係を築くにいたったとき、相手のレベルがあなたのレベルと違っているかもしれないのだから。結婚した相手があなたより高い外向性スコアをもっていたとしたら、その相手は時にあなたにとっては無意味で、高価で、理解に苦しむようなことをしたがるかもしれない。パーティに出かけたり、ポルシェを買ったり、クレイジーな趣味に熱中したり……。逆に、自分より低い外向性スコアの持ち主と結婚したならば、相手があまり行動的でなかったり、あなたの新しい計画に関心を寄せないことに、時に失望することだろう。気にすることはない。彼らはたんにそのように配線されているだけなのだから。

4 悩む人——神経質傾向

世の中には、ありとあらゆる不幸を自分から背負ってしまうような人がいるものだ。スーザンもその一人である。彼女はこれまでの人生で、それこそ荷馬車一台分くらいの悪い男たちと関わりあってきたように見える。ロンドン郊外のハイスクールに通っていた彼女は、卒業を控えて、将来の人生について思案していた。教師たちはオクスフォードを受けるよう薦めた。なにしろ彼女は、学校始まって以来の秀才だったのだ。だが彼女はオクスフォードにも、もっとやさしい大学にも、それどころかどの大学にも願書を出さなかった。美術学校に入りたい気持ちがあったものの、事前に見学してみて、中退する学生の数があまりに多いので心配になった。それでは何をしたらいいのだろう。

答はすぐにやってきました。地元のユースクラブに入っていた友だちグループから、私も誘われたのです。二、三週間もしないうちに、私は生まれて初めての恋に出会いました。最初の夫になったアダムです。アダムは建て売り住宅の仕事をしていて、たくさんお金を稼いでいるようでした。彼はとても魅力的でハンサムでした。私たちは恋に落ち、結婚したいと思いました。私は学校をやめ、事務の仕事につきました……そんなふうに私がままごと遊びをしている間に、大学に行った友人たちとは縁が切れてしまいました。

だが、ロマンチックな生活は長くはつづかなかった。彼女は言う。「仕事は退屈になってきました。自分が人生について正しい判断をしたのかどうかわからなくなりました。結婚生活は二年つづきました。結婚してまもなく、私は気分がすぐれなくなりました。」気分がすぐれなかったのは、うつ病にかかっていたためだった。体重は急速に減少し、日常の生活にうまく対処できなくなり、仕事も休みがちになった。彼女はさまざまな抗うつ薬を与えられた。一九八〇年になったばかりのころで、抗うつ薬には今よりもはるかに多くの副作用があった。医者たちは患者を無力化させすぎることなく効果のある薬を探して、処方を変えつづけた。

結婚生活について、スーザンはこう述べている。「私は完全な妻になりたいと思っていました。でも、何かが狂っていて……それが何だったのか、今もわかりません。」警告のサインはそこにあった。アダムは短気で怒りっぽく、結婚する前にも何度か彼女は殴られていた。やがて彼は彼女を支配し、虐待するようになった。生活費はすべて彼女の給料から差し引かれた。彼は彼女に対して、何を着ろとか何をしろとか命令し、その一方で、自分は仲間たちと気ままに飲み歩いていた。彼女のうつがひどくなるにつれて、夫の暴力は増していった。

　スーザンにとって希望のない孤立した日々がつづいた。だが、ついにそれも終わりを告げた。あるとき、彼女は地元のジャズ・ミュージシャンに出会い、「一目惚れ」したのだ。一目惚れは情事へと発展した。この時期、アダムはますます残酷になり、疑い深くなった。病気のせいで、彼女は仕事をやめた。アダムは、それを喜ばなかった。「彼は私を養うつもりなどまったくありませんでした……家の費用は私に払わせて、自分の稼ぎは全部自分の好きなように使いたかったのです。毎日のように暴力をふるわれました。殴り倒され、鼻の骨を折ったことも一度ならずありました。」

　とうとう彼女は勇気を奮い起こして彼のもとを去り、両親の家に戻った。いずれにせよ、アダムもまた浮気をしていたのである。スーザンは看護学を学ぶために大学に入った。そして何の気がかりもなく、新しい気持ちで人生のやり直しにとりかかった……と言いたいところだが、実はそうとばかりも言えなかった。新しくパートナーになったミュージシャンは結婚しており、悪名高い女たらしだった。二人は五年間一緒に暮らしたが、彼は一度として将来をきちんと約束することなく、いつも彼女を裏切っていた。しょっちゅう浮気をしていたが、それも複数の相手とだった。「いま思い出すと、彼の私に対する扱いはぞっとするほどひどいものでした。」

　何年かたって、スーザンはついにそのミュージシャンとの泥沼から抜け出し、二番目の夫となるスティーヴンと出会った。スティーヴンについて、彼女はこう述べている。「彼にはどこか哀れを誘うところがありました（いつも酔っぱらっていて、一文無しで）。何だか気の毒に思えたのです。」彼女自身、二人の関係に未来があるとは思えなかった。だが「職場の同僚たちがひどく驚いたことに」、二年ほどたって彼らは結婚した。はじめのうちは、万事うまくいくように思えた。やがてスティーヴンの仕事がうまくいかず、知らないうちに何回か仕事をかわっていることがわかった。「帰宅がどんどん遅くなってきました。帰ってきたときには酔いつぶれていて、ひどい状態でした。彼はお金を渡したがらなくなり、理由は知らされないまま給料が遅れることがしばしばありました。」

本人は否定していたが、スティーヴンの飲酒は悪化する一方だった。それが原因となって失業した彼は、妻に対してひどい暴力をふるうようになった。やがてその暴力が娘に向かったとき、ついに警察が呼ばれた。いま、スティーヴンは彼女の周辺に近づくことを禁じられている。この苦しい時期の間、スーザンは前よりも頻繁にうつの発作に見舞われた。そのころにはすでに副作用の少ない薬剤が開発されており、彼女はそれを服用した。当時、彼女は小売りチェーンの大型店で働いていたが、そこの上司は横柄で威張り散らすタイプで、彼女にきつく当たった。スーザンは自殺を考えるほどになり、仕事を休むことが多くなった。ついに彼女は仕事を辞めたが、退職金は貰うことができた。しばらくはこれでやっていけるだろう。

スーザンの人生は波乱に満ちた、心動かされる物語であり、そこにはまだ探らなくてはならない部分が含まれている。私がスーザンの話を選んだのは、神経質傾向という特性がどんなものなのかを示すためである。実際、スーザンの神経質傾向におけるスコアはきわめて高いのだ。だが、理由はそれだけではない。彼女の物語を選んだのは、そこにあふれる正直で詳細な描写のためであり、同時にまた、神経質傾向のなかでも人目につく特徴だけでなく、もっと微妙な特徴のいくつかが見てとれるからである。だが、彼女の物語の細部に戻って調べる前に、神経質傾向について科学者たちが何を知っているかを見てみよう。

外向性がポジティブな情動と関わるように、神経質傾向はネガティブな情動に関わっている。前に述べた実験で、面白い映画の一場面を見たり、自分の素晴らしい経験について書いたあとなどに、外向性のスコアの高い人は、気分が大きく高揚した。それと同じように、恐ろしい場面を見たり、ひどい経験について書いたあとなどに、どれほどネガティブな気分になるかを予測するのが、神経質傾向のスコアなのだ。日常生活の苦労や厄介事についても、神経質傾向のスコアの高い人は、スコアの低い人よりも、強い影響を受ける。つまり神経質傾向のスコアは、ネガティブな情動システムの反応性を測るもののようである。

ネガティブな情動とは何だろうか。このグループには恐怖、不安、恥、罪悪感、嫌悪感、悲哀がたがいに関連しあって含まれるが、どれも経験する者にとってきわめて不快である。思うにそうした不快感は、私たちにそれらの経験を避けるよう教えるためのデザイン特性なのであろう。ポジティブな情動が、私たちにとって良い事柄を探し出し、それを目指すためにデザインされているのだとすれば、ネガティブな情動は、祖先の環境で悪かったであろう事柄を感知し、それを避けるためにデザインされている。こうして私たちは恐怖を感じると、潜在的な危険を警戒し、その恐れのもととなった事柄に対して用心する。不安を感じれば、起こりうる問題や危険がないかと周囲の状況や自分の心を探る。嫌悪の感情は、私たちを有害なものや感染性のものから遠ざける。恥と罪悪感は複雑な情動だが、本質的には、ネガティブな結果を伴う行動へと向かう私たちを押しとどめる。

では、最後の悲哀はどうか。悲しみというのは奇妙な情動であり、その機能はいまだに完全にはわかっていない。これを社会的信号と考える人々もいる。つまり自分にとって重要な他者に対して、「私はもうやっていけません。支えをください」と言っているというのである。その一方で、悲哀とはプランが失敗したときの省エネの退却だとみる一派もある。さらにまた、悲哀には認知の役割があるとする考えもある。暗く、ごまかしのない心との対話のなかで、私たちは挫かれた目標と過去の間違いを再評価し、未来のためによりよきプランを作るというのである。これらの説はいずれも正しいのかもしれない。確実に言えるのは、悲哀というネガティブな情動が、不安のように喚起されやすい別の感情と、多くの心理的機構を共有しているということである。

ネガティブな情動のデザイン特性について少し考えてみよう。その機能は、「煙感知器の原理」に従っている。煙感知器は、火事の発生を警報するように設計されている。考えられる感知器のミスには二通りある。現実に火事がないときに警報を鳴らす（偽陽性）か、実際に火事が起きたときに鳴らさない（偽陰性）かだ。前者は迷惑なだけだが、第二のミスは致命的となる。したがって煙感知器の感度を調整するときは、火事が起きたらつねに警報が鳴るような閾値にセットすべきであろう——たとえそれによって周期的に偽りの警報というコストがつきまとうとしても、である。したがって、このつぎあなたが、火災でもないのに建物の外に追い出されたときには、高感度の煙感知器が偽陰性ミスをけっして犯さないレベルに設定されていることを思い出して、自分を慰めたほうがよい——たとえ周期的に空しく雨の中に立っていなくてはならないにせよ。感度の低い感知器を設置して、絶対に偽の警報を出さないようにしたら、今度は本物の火事を見逃すことにもなりかねない。ひょっとしたら死者が出るかもしれないのだ。

ネガティブな情動についても、同じことが言える。本来これらの情動はいずれも、捕食者に殺されるリスク、ステータスを失うリスク、社会からの排斥のリスクといった深刻な危険を検知するようにデザインされたものだった。私たちの祖先にとって、こうしたリスクはどれも死の宣告を意味したことだろう。現実の脅威を見逃すことのコストを考えれば、自然淘汰がさまざまなやり方でそれらの情動を超高感度に設計したのは当然だった。捕食者に食われたり、餓死したりするよりは、少しばかり根拠のない心配のほうがはるかによい。苛酷な自然と激しい競争の状況では、これはどうしても必要なのだ。だが、そこにはまた困った一面もある。ネガティブな情動が正しく作動しているときでさえ、心配の大半はまったく根拠がないということである。夜、眠れずに、有力な同僚を怒らせたかもしれないとくよくよしているあなたは、おそらく必要もないのに心配しているだけであろう。いまあなたがそうやっているのは、やはり同じように眠れずに不安にさいなまれ、そして一度も面倒なはめに陥らずにすんだ祖先たちの長い系統を背負っているからなのだ。夜中に心を悩ますようなことのなかった彼らのライバルは、あなたの祖先よりも幸せだっただろうが、ときおり壊滅的な判断の過ちを犯して攻撃され、食われ、もしくは追放されたことだろう。

神経質傾向のスコアの高い人について考えてみよう。それらのネガティブな情動を煙感知機の感度になぞらえて、その度合を集団内部の分布図に描くと、はっきりしたベル型の偏差が見られる。そして、神経質傾向のスコアの高い人は、ベル型の曲線の終端にいるのである。これはどういうことかというと、たとえば分布図の最中央部に当たる人々の場合は、悩んでいる時間の80パーセントが根拠のない悩みで占められているのに比べて、神経質傾向のスコアの高い人のほうは気の毒なことに、99パーセントが意味のない悩みで占められているということである。この世界の多くの事柄には、わずかではあるが少なくともいくらかの不安のキューが含まれている。それを神経質傾向の高い人々は敏感に検知し、多くの時間を悩みながら過ごすことになるのだ。

ネガティブな情動が超高感度である場合、具体的にどんなことが起こるのだろうか。まずそれらの情動は、現実の脅威となりそうな見込みがたとえごくわずかであっても、それに反応して警報を鳴らす。つぎに、いったんそれらの情動がたとえ一部でも喚起されると、知覚や注意、認識において、脅威への過度の警戒が起こる。不安な人間は怒った表情にすばやく気づき、そこから注意をそらすのに苦労する。不安や悲しみのなかにいる人は、曖昧な言葉をネガティブに解釈する。「染料《ダイ》」という言葉に「死ぬ《ダイ》」を連想し、「窓ガラス《ペイン》」という言葉に「苦痛《ペイン》」を連想するのだ。ネガティブな情動はまた、悪いことが起こるとそれを最悪の解釈にもっていく（「何もかも私が悪かった」、「みんな私を嫌いなんだ」、「私は絶対に成功しない」等々。これを「私は最善を尽くしたけれど、状況が私に不利だった」、「あの人たちのほうが考え違いをしてる」、「今度こそうまくいくだろう」というような対応と比較してほしい）。

かつて祖先が生き延びるのに必要としたものも、今の私たちが快適に暮らすのに必要ではなくなっている。このことはとくに、神経質傾向の高い人に言える。ここでも進化論的見地からの考察は、ネガティブな情動による障害がなぜ不安や恐怖症などの形をとるのかについて、洞察を与えてくれる。私たちが拒絶や恥辱、病気、開けた空間、見知らぬ人々、あるいはまた、他者による言葉に出されないネガティブな意図を恐れるのは、それらがいずれも祖先にとっては現実の危険を意味したからだった。これらの恐怖症や気分障害、不安などは、このあと述べるように神経質傾向のスコアによって強く予測される。

外向性については、情動システム、脳領域、神経伝達物質、そして遺伝子の間に何らかのリンクを想定することができた。神経質傾向の場合も同様である。脳には、アイスクリームや子犬といったポジティブなイメージに反応し、その反応の大きさが外向性に関係する領域がある。それとまったく同じように、銃、怒った顔、墓地といったネガティブなイメージに反応し、その反応の大きさが神経質傾向に関係する領域があるのだ。この回路の中枢にあるのが小脳扁桃、脳の両側にある側頭葉の下に位置する神経核である。神経質傾向の高い人の小脳扁桃は、ネガティブな刺激に対してより反応的であるだけでなく、基本的により活動的である。さらに、小脳扁桃のサイズないし密度の違いが、実際に神経質傾向あるいはうつと関係していることを示す証拠もある。

小脳扁桃と関連しているのが海馬であり、また、右前頭葉のなかの右背外側前頭前野と呼ばれる部位である。この領域は、うつの患者では活動と容量が減少し、健康な被験者を対象にした実験では、ネガティブな感情を抑制しようとするとき、きわめて活発となることがわかった。この領域については、次章でさらに触れることになる。いずれにせよその領域が、自動的なネガティブな情動反応を抑えるための智恵を使っているのは確かであろう。うつでこの領域が不活発であるのは、ネガティブな情動のコントロールができていないことを反映している。

ホルモンと神経化学の面から見ると、ネガティブな情動にはいくつかの物質が関わっている。たとえばアドレナリンは、不安などのストレス反応に中心的役割を果たすホルモンである。それゆえパニック発作には、βブロッカーを使ってアドレナリンの作用を防ぐことが効果的となるのだ。ストレスホルモンのコルチゾールは、慢性的にネガティブな情動状態のとき、分泌パターンが調整不全となる。だが最も関心を集めているのは、脳の神経伝達物質であるセロトニンである。セロトニンは、ネガティブな情動の調節回路の働きにとって不可欠な物質であるようだ。そのことを示す科学的根拠については、詳しくは述べないが、いくつかを簡単に列挙すると、脳の特異的分子イメージング、プロザックやd-フェンフルラミンなどセロトニンをターゲットとした薬剤がネガティブな情動を鎮めるのに果たす効果、さらに主にセロトニン作動系の薬物乱用によって起こる屈託のない誇大な気分などが挙げられる。

この物質のもつ重要性を考えれば、研究者たちがセロトニンと、これに関連した蛋白質を作る遺伝子の変異を探ろうとしたのは当然だった。セロトニンをニューロン相互間の結合部であるシナプスから除去する働きをもつ化学物質を作る遺伝子には二種類の変異がある——短いフォームと長いフォームである（セロトニン・トランスポーター遺伝子）。クラウス゠ピーター・レッシュらは、少なくともひとつの短いフォームをもった人は、長いフォームを二つもった人よりも、神経質傾向のレベルが高いことを見出した。今までに、多くの研究がこれと同じ結果を出している。ただしここでもまた、すべての研究で見出されているわけではない。効果そのものが小さいうえ、さまざまな遺伝子同士の、そして遺伝子と環境の間での複雑な相互作用によって、簡単に覆い隠されてしまうからだ。それでも証拠の針は、セロトニン・トランスポーター遺伝子の変異が神経質傾向に何らかの役割を果たしているとする考えに傾いている。最近になって、これに新しいタイプの科学的根拠が付け加えられた。これは分子遺伝学と脳画像診断を結びつけたものである。実験の参加者に恐ろしげな顔の絵を見せると、遺伝子の短いフォームをもった被験者は、長いフォームをもった人々よりも、小脳扁桃の活動が高まるのだ。

神経質傾向が多様な遺伝子とさまざまな脳領域のネットワークの影響を受けていることは、いずれはっきりするだろうが、そのパズルがいまだに完成の途上にあることも事実である。とりあえず今は、心理学的レベルでの神経質傾向の性質と、それがもたらす結果に話を戻すとしよう。

スーザンの物語のなかで、彼女の神経質傾向が高いことを示す最もはっきりした指標は、うつの発作である。神経質傾向は、うつへの危険因子というだけではない。両者はきわめて密接に関わっているため、完全に別のものとして見るのはむずかしいほどである。もちろん、神経質傾向は持続する安定した特性であり、うつの症状は発現するときと治まっているときがあるのは事実である。だがうつ病は再発する傾向がある。一回でもうつの発現を経験した人は、50パーセントの確率で、二年以内に再び発症する。二年以内でなくとも、いつの時点かで再び発現する可能性は80パーセントである。また、たとえ本格的な症状が出ていないときでも、うつにかかっている人の情動には、顕著な特徴が見られる。要するに、うつとはだしぬけに現れ、そのあと完全に消失するものではなく、基礎をなすパーソナリティ特性の結果として生じる、周期的でしばしば反応的な再発と見なすべきだろう。つまりネガティブな情動、とくに悲哀——メランコリー・タイプのうつであれば——がひどく喚起され、しばらく居すわりつづけている状態がうつと考えられる。その状態に陥る頻度は、それらの情動が反応的であればあるほど明らかに多くなるのだ。

よくこういうことを聞かれる——うつになるのはその「人」が問題なのか、それとも彼らがいる「状況」によるのか。洪水が起こるのは水面の高さによるのか、それとも陸地の高さによるのかという質問と同じくらい、これは無意味な問いだ。うつがしばしば人生のさまざまな出来事のせいで促進されるのは確かである。だれもがうつになりうるというのも、あるいはそうかもしれない。それでも、人によってうつになるのに必要なストレッサー〔ストレスを引き起こす刺激要因〕の量は違うのだ。うつになるのにおびただしい量のストレッサーが必要な人もいれば、はるかに少ないストレッサーでなる人もいる。神経質傾向は、日々出会う厄介な出来事へのネガティブな反応の大きさとともに、脅威に対する反応の大きさも予測する。神経質傾向のスコアがきわめて高い人は、低い人なら相手にもしない、あるいは気づきさえしないような脅威にも参ってしまう。洪水のたとえで言うなら、神経質傾向の高い人は低地帯に暮らしているため、水面レベルがほんのちょっと上昇しただけで溺れてしまうのである。

このストレスに対する弱さの違いは、どのように働くのか。最近発表されたアヴシャロム・カスピらによる興味深い遺伝学的研究が、この問題に光を投げかけた。研究は次のように行われた。まず長期にわたって精神的健康状態を追跡調査したニュージーランドの若者の大きな集団を、遺伝子型に基づいて三つのグループに分ける。セロトニン・トランスポーター遺伝子の短いフォームを二つもつグループ（s/s）、短いフォームをひとつと長いフォームをひとつもつグループ（s/l　両親からそれぞれひとつずつコピーをもって生まれてくるため、二つとも同じとは限らない）、そして長いフォームを二つもつグループ（l/l）である。被験者は面接を受け、過去五年間に人生できわめてストレスのある出来事に出会ったかどうかについて、「まったくなかった」、「ひとつ」、「二つ」、「三つ」、「四つ以上」に基づいて評価された。それらの出来事とは、住まい、健康、仕事、人間関係などに関わる大きな問題、ないしネガティブな変化を意味する。

ネガティブな出来事がまったくなかったと申告した人たちの場合、うつの割合は遺伝子型とは関係なく一様に低かった。おおむねその種の人生の出来事《ライフ・イベント》を多く経験するほど、うつになりやすい。ただしこの相互の関係の度合は、三つの遺伝子型でそれぞれ異なっていた。l/lグループの場合、ネガティブな出来事が四つ以上あったときでも、うつになる割合は20パーセント以下だった。s/sグループのうつの割合は、ネガティブな出来事を二つ経験すると20パーセント、三つだとほぼ30パーセント、四つ以上では40パーセントを超えていた。s/lグループは、この二つの中間だった――人生のストレスを一定レベル受けた場合にうつになる可能性は、l/lよりは高く、s/sよりは低かったのである。ネガティブな出来事への反応の大きさを決めるのは私たちの遺伝による気質だということ、そしてうつとは私たち自身のその気質（土地の高さ）と、私たちに起こる事柄（海面の高さ）との相互作用の結果であるということを、この研究はこれまでにも増してこの上なくはっきりと論証している。

神経質傾向と関係のある障害はうつだけではない。不安障害、恐怖症、摂食障害、心的外傷後ストレス障害（PTSD）、強迫性障害など、それぞれ別個の名称はもつものの、たがいに重複し、またうつと重なって同一人物に起こる傾向をもつ、ひとつの大きな障害グループがあって、そのいずれも高い神経質傾向という特徴をもつ。それぞれの障害の違いは、他のパーソナリティ要因と個人的な要素によるものかもしれないが、それらに共通した苦痛のコアは、神経質傾向に関わっている。たとえばメランコリー親和型うつ病は、高い神経質傾向に加えて外向性が低い場合にとくになりやすいが、不安障害はそうではない。このほかにも不眠症や頭痛など、他のタイプの問題も高い神経質傾向と関わっているうえ、いくつかのパーソナリティ障害をはじめとして統合失調症までも、高い神経質傾向と結びついている。

ここまで述べてきた「ネガティブな情動としての神経質傾向」から、スーザンのライフ・ストーリーがある程度まで理解できると思う。彼女の書くものを読むと、ネガティブな情動にからむ表現がきわめて多いことに気がつく。たとえば、はじめて学校に行くのは「恐ろしくて身体がすくむほどだった」し、子供のころは「苦しいほどシャイ」だった。二年飛び級し、奨学金を得て地区外のプライベートスクールに行くほど並はずれて優秀でありながら、それは彼女にとって喜びや誇りとはならなかった。彼女は言う――それは「私にとどめを刺したのでした……」「私は遊び時間が大嫌いでした」と彼女はつづける。「私は……〈病欠〉の名人になりました。」さらにこうも言っている。「私は学校が大嫌いでした。毎朝、学校に行くことを考えるだけで気分が悪くなりました。」スーザンの話のなかには、一人称プラス苦しみの動詞といった組み合わせがしばしば出てくる。これは神経質傾向のスコアの高い人の書くものに共通の特徴である。

それにしても、今まで述べてきたことからすると、スーザンの話にはつじつまの合わないところがある。もし高い神経質傾向が、環境内の脅威のキューに対して過度に警戒させるのだとしたら、いったいどうして彼女は、虐待者、女たらし、大酒飲みといったろくでもない男たちと一緒になったのだろう。当然彼女の心の警告システムは、この種の問題を示唆するようなどんなわずかなキューにも反応しただろうし、そうなれば彼女はネガティブな情動の論理からして、問題をはらむ状況から遠く離れるか、すぐさま脱出しなくてはならないはずだった。なぜ彼女はそうしなかったのか。

これを理解するためには、神経質傾向のさらなる側面を見る必要がある。つまり、ネガティブな情動は自己に向けられることが非常に多いのである。ネガティブな情動が影響を与えるのは、外の世界を評価するためのメカニズムだけではない。それとまったく同じように、私たちが自分と自分の価値を評価するメカニズムもまた、ネガティブな情動に影響されるのだ。スーザンはそれらの男たちのなかに、トラブルのキューを見抜いていたはずだ。夜中、眠れずに目を覚ましたまま、苦しみ悩んでいたにちがいない。だが彼女にとって、一人でいることもまた、同じように恐ろしいことだったのだろう。彼女の自尊感情はあまりにも低かったから、自分がもっとうまくやれるとはとうてい思えなかったのかもしれない。学校始まって以来の秀才だったにもかかわらず、彼女は大学にも美術学校にも進もうとしなかった。自分に自信のある人間の行動ではない。

低い自尊感情と結びつくものに、自己概念が不安定だという特徴がある。神経質傾向の高い人は、自分の生き方が間違っていなかったかどうかにたえず思いをめぐらす。おそらく、ネガティブな情動が検知する脅威のひとつは、人生で間違った道を選び取る危険なのだろう。だからこそネガティブな情動が活発になると、自分が間違った生き方をしているのではないかとたえず疑いつづけるのである。私の調査に協力してくれている報告者のうち、高い神経質傾向の人々の多くがそうであるように、スーザンもまた、大人になったあともずっとアイデンティティと目標を変えつづけてきた。彼女は書いている——「私は始終自問したものです——生き方を間違えてはいないだろうかと。」自分のライフ・ストーリーを始めるにあたって、彼らは一様に感謝の言葉を書いている。与えられたこのチャンスが、人生を回想し、自分が何をやろうとしているのかを把握させてくれたというのである。神経質傾向の低い人はそんなことは言わない。自分が何をやろうとしているのか、彼らは先刻ご承知だ。報告を書いてくるのは、自分のためというよりも、私のためなのである。神経質傾向の高い人々はまた、報告する量もたっぷりである。おそらく、私が彼らに思いめぐらすための許可を与えたからであろう。

パーソナリティ・アイデンティティにおける不安定さが最高潮に達するのは、境界性パーソナリティ障害と呼ばれる状態である。スーザンがこの障害をもっていると言っているのではない。ただ、この障害の特徴が極度に高い神経質傾向であるのは事実である。この障害の主な症状は、人生設計と個人的目標が不安定であることで、これに価値がないとか空虚だといった感情が慢性的に伴う。彼らは多くの新しいライフ・プランを作り上げ、しばしば現実離れした不適切な結婚——それも短期で終わることが多い——をしてしまう。彼らがこうなるのは、自分がだれなのか、どうすれば幸福になれるのか、自分にはどんな価値があるのか、つねに疑いを抱いているからなのだろう。ロバート・マクレーとポール・コスタの洞察に満ちた表現によれば、神経質傾向のスコアの高い人は「ちょうど不眠症の患者が寝床のなかで何とか快適な姿勢を見つけようともがいているように、つねに新しい自己定義を試しつづけている」のだ。

不安定な自己定義と低い自尊感情は、神経質傾向の特徴のなかでおそらく最も残酷な事態を引き起こす。つまり、悩む人は悩まない人にくらべて、実際に悩むべき事柄を多く抱え込むのである。これについては、多くの研究が相次いで明らかにしている。神経質傾向の高い人は、ネガティブな出来事に強く反応するというだけでない――反応すべきネガティブな出来事自体が、多く起こるのである。これにはいくつかの理由が考えられるが、まだ完全にはわかっていない。ひとつには、神経質傾向が遺伝性をもっており、家系にその傾向が流れているため、このスコアが高い人の（生物学的）家族にはうつや自殺をはじめ、さまざまな種類の苦痛に襲われるケースが平均よりはるかに多い可能性がある。そのうえ、彼らは自尊感情が低いため、失敗に終わる可能性の高い選択にとびつきやすいのかもしれない。スーザンは、同僚たちの驚きをよそに、「酒飲みで一文無し」のスティーヴンと結婚した。絶望のなかで、自らのネガティブな情動を少しでも軽くしようとしてなされる決定の多くは、賢明な決定にはならないだろう。最後にもうひとつ、ネガティブな情動は、避けようとしている行動を反対に招きよせることがある。パートナーに捨てられることを恐れてたえず苛々している男性は、相手に対して逆に、彼を捨てる理由を与えているかもしれない。

どうやら神経質傾向の高い人を人生で待っているのは、うんざりさせるほどおびただしいトラブルのようだ。それがどんなものなのか、ここで要約してみよう。まず彼らは、うつ、不安障害、不眠症、その他あらゆる種類のストレス関連の問題をもつ比率が高い。医者を訪れて病気の診断を受ける頻度が高く、また自分の健康状態を悪いほうに考える。きわめて長期的に見て、心臓病から胃腸障害まで——驚くことはないかもしれないが高血圧を含めて——あらゆる種類の障害にかかるリスクがわずかながら大きいようである。免疫機能が低いようなのは、明らかにストレスホルモンの慢性的増加によって免疫が抑制されるためだろう。健康状態以外でのトラブルとしては、結婚や仕事に満足することが少なかったり、他の人たちが自分を困らせようとしていると思いがちな点などがある。

本書の中心をなすテーマは、すべてのパーソナリティ特性はコストとともに利益をもたらすということである。神経質傾向でこれを言うのは、なかなかむずかしいかもしれない。実際、五つの特性のうちでこれが最も手強そうだ。見たところはひたすら惨めで、病的でさえある。だが、私はそうは思わない。これから本章の残りの部分を使って、その根拠をいくつか挙げてみよう。

まず指摘したいことは、ネガティブな情動が存在するのには明らかに理由があるということである。ネガティブな情動は私たちの体と心を保護するシステムであり、それらを完全に欠いたならば、悲惨なことになるだろう。ときおり、先天的に痛みを感じることができない症例がある。この症状をもった人は、必ず早死にする。自分に危害を加える対象を検知できないためだ。ハンセン病では身体の先端部への損傷が起こるが、これもまた痛みを感じる能力が失われた結果である。手がいつ傷ついたのか、本人にはわからないのだ。痛みを感じる能力の喪失は、恐ろしいコストを伴う。これと同じことが、恐怖、悲しみ、そして罪悪感という感情の喪失についても言えるのである。

ネガティブな情動をもつ必要があるとすれば、問題は、その閾値をどこに設定すべきかということになる。煙検知器と同じく、反応しやすくすればするほど偽りの警報が生じやすくなる。だが同時にそれは、現実の脅威を見逃さないわけである。第2章で述べたグッピーの例を思い出してほしい。用心深さの足りないグッピーは、捕食者のいる環境では、その捕食者の腹におさまる可能性が高かった。逆にきわめて用心深いグッピーは、それに伴うコスト――摂食が少なくなり、つねにびくびくしているのは、人間の不安障害の症状にあたる――はあるものの、子孫を残しやすいという意味では有利である。事実、人類の祖先が生きていた状況では、神経質傾向がきわめて低い人々は、敵に攻撃されて死ぬ可能性が高かったと思われる。もちろん実証するのは非常にむずかしいが、私は間違いないと確信している。現在の社会でも、このあと述べるように、これに関連した微妙な効果がいまだに働いているかもしれないのだ。

この問題を考えるのに、神経質傾向のスコアが低いと識別されたグループの調査が役に立つ。そうしたグループのひとつは、エベレストの登山家集団である。二〇〇〇年春、エベレストのベースキャンプには、大勢の登山家たちが頂上を目指そうと待機していた。ショーン・イーガンはそこで、高高度パーソナリティ・リサーチ（海抜五三六〇メートル）という度肝を抜く調査をやってのけた。質問紙に記入した三九人の登山家たちからなる集団は、一般の集団サンプルにくらべて神経質傾向のスコアがはるかに低い。ほぼ、1標準偏差下回るのだ。これは実際に大きな違いである（彼らはまた、外向性が高かった）。この危険な冒険に挑戦している人々が、自らを不安傾向が低く、ストレスの多い状況への対処がすぐれていると評価したのは、別に驚くことではないだろう。だがこのことはまた、低い神経質傾向のもつ危険をも示唆している。エベレストで命を落とした登山家はおよそ三〇〇人にのぼる。これまで何人が挑んだかは不明だが、登頂に成功したのは約一〇〇〇人である。おおまかに見積もって、三回挑戦したうちで成功したのは一回だったとしてみよう。そうすると三〇〇〇人が挑戦して、そのうち三〇〇人が登山中に死んだということになる。死亡率は一割だ。エベレストに登るのは、きわめて危険な行為なのである。

この登山家たちの勇気を賞賛するかしないかは別として、その低い神経質傾向は彼らに、自らの生命に対する現実の脅威を無視させていることになる。低い神経質傾向はまた、警察と軍隊の仕事にとって理想的だとされている。二つとも不幸なことに殉職率が比較的高い職業である。神経質傾向がきわめて低い人々は、そのパーソナリティのせいで、危険を避けられないのかもしれない。ある研究によると、強引で、攻撃的で、社会のルールを破るような人々は、神経質傾向が低い可能性があるという。おそらく私たちをその種の行為から遠ざける理由のひとつは、制裁への恐怖があるからなのだろう。いくつかの研究が明らかにしているように、「成功する精神病質者《サイコパス》」——冷酷で、口がうまく、嘘つきで、他人を利用する人間——は神経質傾向が低く、自分の行動の結果がどうなるかについて何の恐怖ももたない。その場合、低い神経質傾向だけがそうした反社会的行動を生む条件でないのは明らかである。エベレストの登山家は神経質傾向こそ低いものの、彼らを反社会的な人々だとする根拠はどこにもない。のちに述べるように、不道徳な行動には三つ巴の抑止力がある。結果への恐怖、思慮、そして他者への共感である。低い神経質傾向はこのうちの第一の抑止力を取り除くだけだ。この三つの抑止力を全部斥けるには、低い神経質傾向に加えて調和性のスコアと誠実性のスコアとがともに低くなければならないだろう。

人類の祖先の環境において、あまりにも低すぎる神経質傾向は死亡率を増大させる原因となり、そのために淘汰されたと見るのは理にかなっている。状況が厳しく、グループ間での、またグループ内での競争による現実の脅威があるとき、最もうまくやれたのは神経質傾向がきわめて高い人々だったかもしれない。イスラエルのゴルダ・メイア首相はこう言ったと伝えられる――「私が被害妄想だからといって、彼らが私を捕えないということにはならないでしょう。」逆に、状況が穏やかなときには、スコアの高い人は行き過ぎた不安の代償《コスト》を支払ったことだろう。くよくよせずに人生を過ごすのんきな連中にくらべて、警戒しすぎるのは不利になったはずだ。ここでもまた、閾値の最適レベルは、局地的状況と集団の構成によって変動したことだろう。

神経質傾向の利点が、捕食者に攻撃されたり、殺されたりする率が低いことだといっても、大部分の読者にとっては無縁の話だろう（考えてみると、私が大型の捕食者に最後に攻撃されたのはいつだったろう？）。では、今日の社会において、何か現実に役に立つ利点が神経質傾向にあるのだろうか。

これは興味深い設問である。というのは、気分障害の結果が平均してきわめてネガティブである――たとえばキャリアの面で――にもかかわらず、その障害にかかりながらも成功した人々が、異常なほどに多いのである。したがって神経質傾向の高い人々のいくらかは、少なくともそのせいで成功しているに違いない。作家、詩人、画家やアーティストについての研究は、これらのグループではうつの罹患率が極度に高く、神経質傾向がきわめて高いことを示唆している。彼らの芸術活動の達成に、その神経質傾向が役立っていることはありうるだろうか。

役立つとすれば、そこにはいくつかの理由が考えられる。第一に、彼らは作品を一種のセラピーとして書くのかもしれない。だが、たとえそうだとしても、プロとしてはやはり読者が読みたいものを書かなくてはならないはずだ。したがって神経質傾向の高さだけでは、作家になるには十分ではない。開放性（第7章）も高くなくてはならないし、おそらく他にも資質が必要であろう。

第二に、神経質傾向の高い人々は、ものごとの現状（世界における事柄だけでなく、自らの内部についても）が正しくないと感じ、それを変えたいと思っている。この意味で、彼らはさまざまな領域——とくに自己を理解し、そこに意味を見出すことに関わる分野——で、いわば革新者となるだろう。これと関連して、神経質傾向の高い人は失敗を恐れるため、それが動機となって必死で努力する。むろん何もできないほど落ち込んでいるときは別である。神経質傾向が高いがゆえの奮闘ぶりについては、多くの例がある。たとえばワーカホリックというタイプがある。仕事を楽しんだり、人との交流のために働くのとは正反対に、いわば取り憑かれたように仕事に駆り立てられる人々のことだが、このワーカホリックには神経質傾向が高い人が多い。ジェイムズ・マッケンジーは、神経質傾向と大学生の学力達成度の関係について研究し、高い「自我の強さ《エゴ・ストレングス》」をもった学生たちのうち、神経質傾向のスコアが高いほど、よい学業成績を修めることを発見した。この「自我の強さ」は組織化と自制の能力を計測するもので、ビッグファイブのなかでは誠実性のジャンルに含まれる。つまり、この学生たちが経験するネガティブな影響は、その燃料を行動に変えるだけの心の状態にあれば、より大きな仕事と達成にむけるエネルギー源となったようだ。だが、もし心があまりにも乱れた状態だったり、ネガティブな情動が病的状態との境目を超えた場合は、彼らの神経質傾向は利益になるよりもむしろ不利になるだろう。

以上が動機づけの面から見た神経質傾向の利点である。認識面での利点もまたあるかもしれない。昔から知られていることだが、私たちは自分の行動の結果について楽観的すぎる傾向があり、とくにいったん計画したあとは、起こりうる結果についてはあまり深く考えない。ビジネスの世界でもこのことはよく言われており、しばしば楽観的すぎる成長プランが指摘されている。軍隊における指揮についても同じことが言える。将軍たちは自分の軍隊の前進の見込みについて、決まって楽天的な予測を立てており、複雑なことはあまり考えないのだ。

社会心理学者のシェリー・テイラーによれば、この過信は私たちの役に立つという。いったん目標の「実行」局面に入ってしまえば、とくにそうである。薔薇色のフィルターのかかった眼鏡は、私たちの追求するものが何であれ、その目標に向かって邁進するための勇気と熱意を与えてくれる。だが、実行している目標が賢明でなかったならば、その「実行」段階にいることは必ずしも望ましいとは言えない。私たちは「熟慮」の段階に足を踏み入れる必要がある。そこで、正直かつ冷静に状況を見直し、必要ならプランを変え、あるいは捨て、あるいは規模を縮小する。この局面では、私たちは過度に楽天的であるのをやめ、慎重になり、事柄の詳細な部分により多くの注意を払い、悩み、思いめぐらすのだ。

熟考に彩られたこの心の状況は、神経質傾向のスコアの高い人にとっては馴染みの場所だ。彼らはスコアの低い人にくらべてはるかに頻繁にそこを訪れる。これに関連して、自分の将来について、あるいは状況へのコントロールがどの程度できるかについて予測する課題《タスク》がいくつかある。そうした課題《タスク》をやらせると、健康な被験者たちがあまりにも楽観的すぎるのに対して、うつの患者は状況を多少とも正確に把握する。健康な被験者は自分が立てた実行戦略に巻き込まれてしまい、ものごとをあるがままに見られないのだ。ただ、私自身はこの「うつのリアリズム」という問題にはあまり深入りしたくはない。うつ病患者がきわめて歪んだネガティブな確信と解釈をもっているのは事実なのである。そうは言っても、世界の問題がありとあらゆる曖昧で複雑な様相をもつなかで、神経症的気質がそれをありのままに見る目を提供するというのはうなずける。パーソナリティが職業上の成功にどのような効果をもつかについて調べた重要な研究からも、興味深い結果が出ている。驚いたことに神経質傾向は、知的専門職としての成功を予測する（弱い）ポジティブ要因であった。知的専門職は思考が中心となる分野である。そこで神経質傾向が利点をもっており、たとえばセールスや肉体労働の分野ではそうでなかったというのは、きわめて考えさせるものがある。

私がいつも胸を打たれるのは、人間というものについて最大の洞察をもつ人々が、彼ら自身、不幸な人物であったように思えることだ。劇作家のヘンリック・イプセンがまさしくその例である。彼はその戯曲『ペールギュント』の中で、過度の楽観主義と「うつのリアリズム」との取引を描いているほどだ。トロルの王はペールに、悩みのない永遠の生命を申し出る。そうなればペールはその狭い谷で幸せに暮らし、自分の人生と結婚生活を完全なものと見なすことができる。この満足を手に入れるためにペールが捨てなくてはならないものは何か。彼は、片目をくりぬかれ、もう片方の目はすべてがすばらしく見えるように変えられなくてはならない。思慮なき幸福の道を取るためには、ペールは世界をあるがままに見ることはできなくなり、さらに多くを求めて励むこともあきらめなくてはならないのだ。こう考えると、現代の生活のなかには、素面《しらふ》の批判的な目が尊ばれる多くのニッチがあるということになる。私たちの社会は、全員が陽気で、やる気満々である必要はない。ちょうど、個人としての私たちが、実行と熟慮という両方の精神状態を必要とするように。

精神医学者のランドルフ・ネスが、一九九〇年代末の株式市場に蔓延した過度の楽観主義について、面白いことを書いている。二桁の収益が永久につづくことを期待して、投資家たちは事業や株式にどんどん金を投資した。彼らを駆り立てたのは、途方もなく楽天的なブローカーたちだった。かつてのブームがすべて不況で潰されたのは事実だ——そう彼らは言ったものだ。だが、今度は違う。今度の景気は、いつまでも上昇をつづけるだろう。言うまでもなく、そんなことはなかった。大変多くの人々が大変多くの金を失ったのである。ネスは、ウォールストリートのブローカーのうち、プロザックなどの抗うつ薬を服用している人の割合は、この時期に25パーセントに上ったと考えている。当時この種の薬剤は、都市の専門職の間で広く手に入り、使われていたからである。プロザックをうつ病患者以外の人が服用した場合、効果はそれほど劇的にはならないが、ネガティブな情動は目に見えて減少する。当時の楽天的なブローカーたちは、この薬によって悩みを少しだけゆるめることができたのだろう。

　このように神経質傾向がふえることは、進化の見地からも、また現代の環境においても、潜在的な利益をもつと言ってよいだろう。他のすべての特性についても言えるように、神経質傾向の高い人は、悩みや心配が消えることをただ願うのでなく、この特性が自分に与えてくれる強さや感受性、努力、そして洞察を理解すべきなのである。世界には、これらがきわめて貴重な価値をもつニッチがある。むろん、いずれもコストを伴う。人生の日々の道筋にまき散らされている、しばしば恐ろしいまでの苦しみがそれである。生きるこつとは、これらのコストにうまく対処し、ともに生き、押しつぶされないようにすることである。方法はある。それについては第9章で述べるとしよう。

　自分がいま金を賭けてカード・ゲームをしていると想像してほしい。目の前のテーブルには四組のカードが裏返しに置かれている。あなたは好きな組を選び、そこからカードを順繰りに取っていく。カードを取るたびに、現金が手に入る。だがときどき、取ったカードによっては、罰金を支払わなければならなくなる。罰金は報酬金額よりも多いこともあるから、カードによっては、前よりも手持ちの金は少なくなることもありうる。

　そのうちに、あなたは気がつく。どうやら左の二組（AとBとする）では、カードを引くたびにもらう報酬はつねに一〇〇ドルだが、CとDの組からカードを引くたびにもらう報酬はたった五〇ドルなのだ。一見したところでは、A組とB組がかなり有利に見える。ただ、A組ではときどき――平均して一〇枚につき一回――一二五〇ドルの罰金カードにぶち当たる。B組では、罰金はそれより少し低くて五〇〇ドルだが、平均して四枚ごとにぶち当たる。C組では、罰金カードは一〇枚ごとで、金額は二五〇ドルだ。D組は四枚ごとに一〇〇ドルの罰金カードに当たる。

どの組からカードを引くべきだろうか。どれが有利で、どれがそうでないか、答は簡単に出る。A組では、一枚で一〇〇ドルをもらうから一〇枚引けば合計一〇〇〇ドルの報酬を受け取ることになる。だが同時に、平均一回出る一二五〇ドルの罰金カードにもぶち当たるだろう。したがってA組では、始めたときよりも一〇枚引いて二五〇ドル損をすることになる。B組にも同じような計算を当てはめてみよう。一〇枚引いたときの報酬は同じ一〇〇〇ドルだが、四枚ごとに五〇〇ドルの罰金を払うわけだから、一〇枚では一二五〇ドル（$500×2.5）の罰金となる。したがって、B組の予想結果はA組と同じく二五〇ドルの純損失となる。

つぎに他の二つの組を考えてみよう。Cでは一〇回引いても、報酬は五〇〇ドルにしかならない。だが払うべき罰金はわずか二五〇ドルだから、はじめより二五〇ドルの儲けが予想されるわけだ。Dの場合も、平均的予想としてはまったく同じである——始めたときよりあなたは二五〇ドルだけ金持ちになっている。

このシナリオは、アイオワ・ギャンブリング課題《タスク》と呼ばれるものだ。この名は別に、アイオワ州の州都デモインの市民の合理性や徳性にけちをつけようとするものではない。たまたまこれを発明した研究者たちが、そのときそこで働いていたというだけのことだ。ボランティアの被験者たちは、最初のうちはいろいろな組を試してみる。ルールは教えられていないため、試行錯誤で見つけださなくてはならないのだ。だが、AとBとを試して数回罰金カードにぶち当たった段階で、彼らはこの二組を避けて、利益が出るCとDを引くようになる。一〇〇回引いた段階では、CとDから引いた場合と、AとBから引いた場合とでは、相当な差が出ているだろう。

なぜこのアイオワ課題が心理学的に興味深いのか。その理由は、最終的には利益をもたらさないAとBが、目先の報酬としては最大の金額を与えるからである。AとBを引けば、必然的に一〇〇ドルもらえることになるが、CとDは、五〇ドルでしかない。ただしAとBは多額の罰金を含むため、利益が出ないようになっている。それでもちょっと見たところでは、AとBは、カードを引くたびに一〇〇ドルもらい、そのうえCとDにくらべて罰金の回数ははるかに少ない。したがってゲームを有利にプレイするには、目の前に出された一〇〇ドルというおとりの誘惑に打ち勝ち、慎重に考えて、控えめな報酬金額と低い罰金を提供するCやDを選んだほうが長期的には有利になることを知るべきなのだ。人生の多くは、アイオワ・ゲームと似た特徴をもつ。私にしてもいま、この晴れた午後のひととき（今日は休日である）、仕事などやめて、書斎から出て猫と遊べたらどんなにいいだろう。そうすれば、目の前にぶら下がっている確実な報酬が手に入る。私は猫と遊ぶのが大好きなのだ。だが人生という長い目で見れば、いま目先の楽しみに手を伸ばしたい衝動を抑えてこの章のつづきを書けば、はるかにすばらしいことが待っている。私たちはたえず、周囲にちりばめられた目先の報酬から自分を抑制し、そのかわりに、心の中で設定した目標や、先送りされた満足を追求しようとしているのである。

アントワーヌ・ベチャラらが、アイオワ課題を開発したのは、それを使って特異なタイプの脳損傷患者を調べるためであった。しばらく前から知られていたことだが、前頭葉のいくつかの部位が脳卒中や外傷で損傷を受けると、以前は慎重できちんとした人物が、いい加減で衝動的になることがある。時には社会的に不適切な衝動に駆られるようになるのだ。たとえば、動脈瘤破裂によって脳の前頭葉に損傷を受けた男性の例が知られている。以前は自動車工場でまじめに仕事をこなしていたのが、損傷のあとは会社の駐車場から車を持ち出しては乗り回したあと、自宅近くに乗り捨てるという行動を見せ始めたのである。彼はまもなく工場をクビになった。その後もつぎつぎと職をかえたものの、時間が守れないうえ、他人の車を乗り回す癖がやめられないために、どれも長続きはしなかった。長期にわたって失業している間も、酒を飲んでは車を探しに出かけ、勝手に乗り回しては捨てるという行為を繰り返した。彼の場合、しばらく乗り回したあとはただ乗り捨てるだけで、車を売って儲けようというのではまったくなかった。全体的な認知機能は無傷だったため、本人には自分の行為が法律に反していることはわかっていた。それにもかかわらず、どうしても自分を抑えることができなかったのである。結局彼は一〇〇台ほどの車を持ち出して乗り回し、何度か監獄に行くはめになった。

アイオワ課題によって、この男性のような患者がもつ障害の特異な性質が確かめられた。彼らの記憶、言葉、そして全体的な理解力は無傷のままである。だが、彼らにアイオワ課題をやらせると、ひたすらAとBの組を引きつづける。ときどきは彼らも、自分がやっていることが利益をもたらさないのに気づいているようなのだが、それでも目先の一〇〇ドルの誘惑にはどうしても逆らえないのだ。

正常な人々のパーソナリティの違いを扱っている本書のなかで、なぜこの課題を論じるのか。その理由は、AとBを選択する傾向が、脳に損傷を受けた人だけに限られてはいないからである。事実、脳に損傷を受けていなくとも、同じパターンを示す集団がいくつかある。その第一は、ある意味で当たり前だが、依存症的ギャンブラーのグループである。ギャンブルは、先進国ではビッグビジネスであり、スプレッド・ベッティング〔胴元が設定した数字との開きによって勝ち負けの金額が決まる形式のギャンブル〕のような新しい形式のギャンブルや、インターネットなどの新しいメディアのおかげで、ますますビッグになりつづけている。イギリスでは全国民の1パーセントにも当たる人々が、ギャンブル依存症の診断基準に合うと見られる。このギャンブル依存症というのは、賭け事をたくさんするというだけでなく、賭けるという行為をコントロールできないということである。こうして彼らは、安定した生活を危険にさらし、まともな人生の目標を捨てて、賭け事に熱中する。ギャンブル依存症の人々にアイオワ課題をやらせると、AとBから選択することが異常なほど多い。ふだんから賭けに慣れていて、結果が不利になることが一番わかりそうなものなのに、どうしても自分を止めることができないのだ。

アイオワ課題で異常な行動を示すもうひとつのグループは、アルコール、コカイン、もしくはマリファナなどの依存症をもっているか、あるいはこれまで依存症だったことのある人々である。これらの依存症はギャンブル依存症よりも一般的だが、彼らもまた、ボランティアによる対照実験とくらべて、AとBからカードを引くことが多い。おおむねその率は脳損傷の患者ほど高くはないが、無視できない程度にはっきりしている。興味深いことに、かなり長期にわたって薬物を絶っていたときでさえ結果は同じだった。したがって、原因はドラッグの直接の効果ではない。このことはひとつの可能性を示す。つまり、人々に薬物や賭け事への依存を形成させる素因は、環境内の報酬信号に反応するのを止められないパーソナリティ特性かもしれないのだ。

病的なギャンブル依存と薬物依存に共通するのは、アイオワ課題での行動だけではない。この二つの症状は共存度がきわめて高い。これらの依存症のうちひとつにかかっている人が、もうひとつの依存症にもかかっている確率は平均よりはるかに大きいのである。たとえばウェンディ・スルツクらが、ニュージーランド国内のおよそ一〇〇〇人の若者集団を対象に問題行動の調査を行った結果では、大麻依存の人が同時にアルコール依存である確率は、大麻依存でない人とくらべ六倍高かった。アルコール依存の人がニコチン依存となる確率は、そうでない人とくらべ四倍であった。ギャンブル依存症のうち三分の二が薬物依存症だった。ギャンブル依存症の人が、アルコール、大麻、そしてニコチンの依存症になる率は、そうでない人の三倍以上だった。

もちろん、ギャンブルが多く行われる場所では、多量の酒やドラッグもまた手に入りやすい。したがって、これらの相関は必ずしも何らかの深い心的特徴によるというわけでもなく、たんに状況が原因なのだとする見方もありうる。だが実際には、どうもそうではなさそうだ。ギャンブルや薬物などへの依存は、同じ家族に集まっている。つまり、ギャンブルをする人は酒飲みの家系（彼ら自身はギャンブラーでなくとも）に現れ、また、酒を飲む人はギャンブルをする人の家系に現れるということなのである。さらにまた、この二つの家系においては、反社会的パーソナリティ障害をもつ傾向が、偶然より高い頻度で現れる。反社会的パーソナリティ障害というのはどちらかというと広汎な分類であって、実際にはいくつかの異なるパーソナリティ構成からなっているのだろう。ギャンブラーの家系と依存症をもつ家系に現れる反社会性の特徴は、車を乗り捨てる例の男性の行動のように、無責任な行為と違法行為の繰り返しであるようだ。

研究者たちは、ギャンブル、薬物依存、そして反社会的行動について、集団全体、家族内、そして双子を使って、その共存度を調査してきた。その結果、この種の抑制のきかない行動には、共通した遺伝的傾向があるという結論に達している。飲酒、薬物、ギャンブル、そして違法行為が、同じ環境内で起こるのであれば、おそらくそれは歴史の偶然ではないはずだ。それは、そうした状況に引きずりこまれる人たちの気質構造を反映する。アイオワ・ギャンブリング課題の意義は、それがこの気質の基本的な心理的変数を指摘しているかもしれない、ということだ。ある種の人々は、たとえ頭でわかっていても報酬の大きなAとBを狙うのをどうしてもやめることができない。法を犯す行動とギャンブルで家を失うこと、そして飲酒癖に立ち戻ること――この三者間のリンクはきわめてはっきりしている。

衝動を抑制することがむずかしい人と、そうでない人――人間の集団は、この二つだけに分けられるものではない。他のパーソナリティ特性と同じように、長い連続体に沿ったどこかに、私たち一人一人が当てはまるのだ。パーソナリティの五因子モデルにおいて、衝動のコントロールに関わる次元は「誠実性」と呼ばれている。誠実性のスコアの高い人はまじめできちんとしており、自己をコントロールできる。一方スコアの低い人は、衝動的で、気の向くままに行動し、意志が弱い。

ちょっと待って……と言う声が聞こえる。人が酒やドラッグなどにどのくらいそそられるかは、外向性の問題ではなかったか。たしかに私は第3章で、外向性とはスリリングな刺激に対する脳の報酬システムの反応性の尺度だと論じた。そしてもちろん、酒もドラッグもギャンブルもすべてスリリングである。ここまではたしかに正しい。習慣性の強い濫用薬物は、脳の報酬領域である側坐核を活性化するが、その活動はとくに外向性と関わっているのである。だが、人のパーソナリティのうちで、どの特徴から依存症の問題が予想されるかについて調べた研究からは、重要な役割を果たすのは外向性よりもむしろ誠実性だということがはっきりしている。*

この謎を解くには、人が何かを始める理由と、その何かをやめることができない理由とを区別しなくてはならない。外向性のスコアの高い人はスコアの低い人よりも、酒、ドラッグ、もしくはスリリングな勝負から手に入れる快感が大きい。もたらされる側坐核の活動がより大きいからである。だが、もし彼らが誠実性のスコアも高いのであれば、どれほどその快感が大きくても、二度と手を出さないと決心できるだろう。翌日の仕事に差し支えるとか、あるいはスカイダイビング（も

*依存症者はまた高い神経質傾向をもつが、これは驚くべきことではない。神経質傾向は、あらゆる種類の心理的機能障害の指標であるからだ。しかしながら、ギャンブルや薬物の依存症にかかりやすい人々を突き止めるのは、一に誠実性の違いである。

っと大きな快感が手に入る）のために節制する必要があるとか、いろいろな理由がその決心を後押しする。要するに、環境によって引き金を引かれつつある反応がどれほど報酬的だろうと、それを抑制し、自分が設定したもっと重要な目標や規範を選ぶ脳のメカニズムがあるということだ。このコントロール・メカニズムが強力であれば、それを備えている人はきわめてまじめで誠実性が高いだろうし、それが比較的弱ければその人は衝動的となるだろう。

　実のところ依存症というのは、いったん報酬を味わった行動を抑えられないことから生じるのであり、もたらされる快感が大きいからではない。多くの薬物依存症の場合、脳が依存薬物に慣れきっているため、クスリによってもたらされる快楽は本質的にゼロである。繰り返すのは快楽を求めるためではなく、ましてやむにやまれぬ渇望でさえなく、いったん形成された習慣をやめる抑制メカニズムが無力だからなのだ。

　前に述べたように、アイオワ・ギャンブリング課題は、脳の前頭葉を損傷した患者の精神の働きを調べるために開発されたものである。患者の症状の特異なパターンからは、今述べた誠実性タイプのコントロール・メカニズムにおいて、前頭葉が重要な役割を果たしていることが示される。脳画像《ブレイン・イメージング》がこれを精密に裏づけている。たとえば、ボランティアがアイオワ・ギャンブリング課題を行っている最中の脳をスキャンすると、背外側前頭前野および眼窩前頭野の代謝が活発になっていることがわかる。衝動性のある被験者、もしくは依存症など衝動コントロール障害をもつ被験者が、アイオワ課題やそれに類した課題を行っているときには、とくに脳の右半球で、背外側前頭前野、前帯状回および眼窩前頭皮質の活動が比較的低下している。前頭葉反応がこのように不活発なことが、課題をきちんとやりこなせない原因となっていると考えられる。*

ここで、脳画像《ブレイン・イメージング》を使ったある研究について少し詳しく見てみよう。広島大学の旭修司らは、ボランティアにゴー／ノーゴー課題と呼ばれる課題をやらせ、その間、脳をｆＭＲＩを使ってスキャンした。この課題では、スクリーンに文字が現れるたびに、被験者はできるだけ速くキーを押さなくてはならないが、文字がＸのときだけは押してはならない。被験者はすぐに、画面に何かが閃いたとたんすみやかに反応する習慣を身につけるため、Ｘが現れたときにこの反応を停止するには非常な努力を要する。こうして被験者は、Ｘという文字が出たときにボタンを押してしまうというミスを頻繁に犯すことになる。

Ｘが現れたとき、脳領域のなかでもとりわけ右背外側前頭前野において活動の増加が見られた。つまりこの領域は、環境キュー（文字が現れる）に対する反応を、本人が保持する規則（文字がＸなら反応してはいけない）によって抑制することに関わっているようだ。さらにもっと興味深いのは、この領域で活動量が増加する大きさは、実験の前に被験者が書き込んでいたパーソナリティ尺度でのスコアと直線的に関係していたのである。尺度が計測していたのは衝動性で、これは誠実性

*ここでは、前頭葉の機能についての知識を単純化している。依存症者では、眼窩前頭皮質は一般に異常に不活発であるが、とくに被験者がドラッグを渇望しているか、あるいはドラッグに関連したキューにさらされているときには一時的に過剰に活発になりうる。

の逆と考えられる。最も衝動性が低い（最も誠実性が高い）人たちは、キーを押すのを抑制しなければならなかったとき、右背外側前頭前野の活性化が最大となった。これが意味することははっきりしている。誠実性とは、前頭葉におけるこのメカニズム——目先の反応を抑制して、目標もしくは規則のほうを選ぶ——の反応性の大きさなのである。

そうなると、誠実性がきわめて低い人というのは、たとえそれがどんなに有害でもやめることができない依存症パーソナリティを意味する。彼らの大部分は、依存症や反社会的障害に陥るほど極端とはならない。それでも誠実性のスコアの比較的低い人全員が、軽くはあるがこの種の衝動のコントロールで苦労している様子が見られる。私の通信員のうちで誠実性のスコアの低い人の書いてくるもののなかには、野心はあるけれども「怠け癖が邪魔をして……」とか、経済的な理由でキャリアアップする必要があるのだが「本音はやりたくない」とかいった文章が散見される。というのは、本来彼らには「集中力《フォーカス》が欠如」しており、ぶらぶらしているほうが好きだからである。実は誠実性のスコアが低めの人が不利となる主な領域が、「仕事」なのだ。全般的に見て職業上の成功を予測するうえで最も信頼できる要因は、誠実性である（特定のタイプの仕事に必要なパーソナリティとは別）。おおむね他の条件が同じであれば、誠実性のスコアが高ければ高いほど、成功の可能性も大きくなるだろう。

職業的成功と誠実性との相関はとくに強いわけではない。およそ0・2という相関値は、他に多くの要素が影響していることを示している。ただ印象的なのは、さまざまな調査結果が一貫してこれを示していることだ。数十にものぼる研究で、多かれ少なかれ同じように相関が現れている。職業的成功の基準が、仕事の熟達度評価だろうと、昇進のスピードだろうと、収入だろうと、あるいはまた訓練完遂度評定だろうと同じである。さらにまた、専門職、マネージャー、セールスマン、警官、そしてルーチンワーク的な仕事においても、相関は等しく見出される。したがって、これを特定タイプの職種にのみ帰するわけにはいかない。要するに、誠実性が高ければ高いほど、職場で成功する公算が高いということなのだ——成功の定義や職場の種類とは関係なしに。

どうしてこうなるのか。いくつかヒントがある。誠実性の利点は、自主性を必要とする職場ではとくにはっきりする。これは当然であろう。誠実性という特性が、自分で設定した目標やプランに従う能力であるとすれば、だれからもやるべきことを指示されない状況では、その能力はかなり有利となる。そのうえ労働環境内部での調査によれば、誠実性のスコアの高い人は、多くの目標を設定して、それらをこつこつと実行していくが、スコアの低い人は少ない目標しか設定せず、その目標に固執することもあまりない。スコアの低い人はものごとを先延ばしにしてぐずぐずし、目標を実行しないですますのである。

誠実性について話すと、よくこういう質問を受ける——「あなたの言っている誠実性とは、まるで知能のようではありませんか。」目標を設定し、それに従い、悪い決定を避けるというのは、たしかに頭の切れる人がやることだ。この考え方は、誠実性の本質である前頭葉の抑制メカニズムが、「より高度」で複雑な認識の働き——一般の人が知的行動と見なすものに近い——のように思われるため、よけい本当のように思える。

実を言うとこれは、心理学における知能というものの意味を誤解しているからである。眼窩前頭野に損傷を負った患者は、全般的な知的能力を失わないままで、衝動的になりうる。きわめて頭の切れる人でいながら、薬物などの依存症に陥るケースも多い。なぜなら、知能はどんな心的メカニズムの機能とも関係していないからだ。知能とはむしろ、私たちの全神経システムがいかによく——いかに速く、いかに効率的に——働くかを測る包括的な尺度なのである。したがってIQの高い人の場合では、何もかも効率的に働くわけだ。それこそ基礎的反射から、運動技能、言語、記憶、報酬システム、そして抑制システムにいたるまで……。けれども、それらのさまざまなシステムがその人物のなかで働くときの相対的強さについて、IQは何も言っていない。それゆえ誠実性のレベルについても、何ら予測はしないのである。

少なくともかつては、私はそう考えていた。知能の性質をこのように明快に割り切れば、パーソナリティと知能の間にはまったく関係がないということになる。だが最近の一〇年間で、それが必ずしも正しくないかもしれないことが明らかになった。たしかにパーソナリティと知能の間には、非常に強い関係はないにしてもいくぶんかの関係はあるのだ。ただ、その関係がどんな性質と意味をもっているかについては、論議がつづいている。それにしても、知能と誠実性の関係に関する研究で最も衝撃的だったのは、両者の関係が（予想されるように）ポジティブではなく、わずかにネガティブだということであった。つまり、頭が切れるほど、誠実性は低くなるのである。

最も妥当な説明はこういうことだろう。要するに、頭の切れる人は、前もって準備しなくてもうまくやれることがすぐにわかってしまうため、わざわざ時間を使って訓練に励もうとはしないのである。鋭い理解力に恵まれているため、勉強でも仕事でもどんなチャレンジもうまく切り抜けることができるからだ。逆に、それほど明敏でない人は、他の人なら楽に達成できることでも組織的方法と訓練を必要とする。こうして、知能のレベルを補うための行動スタイルが発達していき、最後は関係が逆転して終わるというわけだ。ここから言えるのは、低い誠実性と高い知能の間には何ら内在的な遺伝的関係はないことである。むしろその弱いネガティブな相関は、発達を通して現れてくるのである。

一見すると、誠実性は良いことばかりのようだ。それは、私たちが代償の大きいドラッグなどの依存症に陥るのを防ぎ、法律の内側にとどまるのを助ける。それは仕事の成功を助ける。それはまた長生きするのを助ける（第2章）。それでは、誠実性が高ければ高いほどいいのだろうか。自然淘汰が誠実性の分布に働くとき、つねにこの特性の高い方向に向けて選択してきたのだろうか。

もうおわかりかもしれないが、私はこのようには見ない。第一に、誠実性の利点は現代の先進諸国の環境のなかで誇張されすぎているのだ。私たちの職場はきわめて人工的な生態環境となっている。かつて私たちの祖先が生き残って、子孫を残すことができたのは、一日八時間、同じ場所で、明確な規則や基準に従い、前もって計画された仕事なり繰り返しの仕事なりを、静かにつづけていたからではなかった。現代の職場や学校で、私たちが長時間それだけをやって過ごすことになったのは、現代の世界における経済の異常な分化と専門化の結果にすぎない。

すでに見てきたように、誠実性とは、人が内にもっている基準やプランに固執することである。狩猟採集の生活を送っていた祖先たちにとっても、プランを作り、それを続行できるというのは、もちろん役に立ったはずだ。何年先に必要となるかわからないにせよ、注意深く、また慎重に道具作りの技を磨くのは、必要に迫られてその場にあるものをつかんで使うよりも有利だったろう。だが、誠実性がいきすぎた場合はまずいことになる。狩猟採集生活の多くは、予測不能な出来事のために前もって計画するのは不可能だった。目の前を走り過ぎていくヌーの群れを見送りながら、「実は水曜日は蜂蜜集めの日なんでね」などと言うのは、けっして良い反応とは言えまい。狩猟採集者にとっての生活とは、今この瞬間の刺激に対する一連の緊急の即興演奏だった。それが通り過ぎる獲物の存在だろうと、通り過ぎる獲物がいないことだろうと、他者からの攻撃だろうと、集団構成の変化だろうと、ほかに考えられる無数の刺激だろうと、何かが起こったとたん、それまでのプランをかなぐり捨て、すぐさま精力的かつ自発的に身体の反応を動員できた人たちが成功したのだった。

よく思うのだが、この意味で、今日では障害とされている注意欠陥多動性障害（ＡＤＨＤ）こそは、かつては強さだったかもしれない。今のこのテーマにＡＤＨＤが直接に関係があるというのは、この障害をもった若者たちがきわめて高い神経質傾向と、低い誠実性、そして程度は少ないがやはり低い調和性という特徴をもっているからである。もうひとつ、この障害で際だって特徴的なものに、性別がある。少年のケースは、少女のそれにくらべて五倍に上るのである。ADHDの障害をもつ人は、教室や職場でじっと席に着いていることができず、その衝動的な行動によって教師や上司、さらには警察との間でトラブルを起こしやすい。だが彼らは目の前の刺激に対し、強く精力的、かつ自発的に反応する。ADHDの若者で、プロスポーツの分野で成功している有名な例もいくつかある。狩猟採集の世界は予測不能であり、いくぶん無法で、ときとして暴力的で、また活動的で、つねに変化しつづけていた。そのような世界では、このタイプの若者こそきわめて成功したはずである。

ここまでの話では、高すぎる誠実性は祖先の環境では不利になりうるが、現在の社会では利点しかもたらさないと示唆しているように見える。だが、これもまた正しくはないのだ。実は精神医学上の診断で、強迫性パーソナリティ障害(OCPD)と呼ばれる障害がある。これは誠実性が極端に高い状態で、全成人のおよそ2パーセントが、この診断基準に当てはまる。だがどんなパーソナリティ障害についても言えるように、本格的なケースと別に、診断閾値に届かなくてもいくつかの症状に悩む人は多い。OCPDと診断される人のうち男性は女性の二倍である。*

OCPD——強迫性パーソナリティ障害——という名称は紛らわしい。よく知られているものに

＊誠実性には奇妙な事実がある。誠実性の平均レベルが男女で同じでありながら、きわめて低い誠実性による障害(ギャンブル、ADHD、反社会的パーソナリティ障害)ときわめて高い誠実性による障害(OCPD)の有病率が両方ともおよそ2対1の率で、男性のほうが高いことである。

ＯＣＤ（強迫性障害）という障害があるが、両者はとくに繫がりがあるわけではないからだ。この二つは同時に出現するわけでもなく、同じ家族に伝わる傾向もない。ＯＣＤは不安障害であり、患者はいちいち確認したり手を洗ったりするなど、特定の考えや行為を繰り返さないと気がすまない。これは不安の疾患であって、うつや全般性不安障害と同じグループに属する。したがって高い神経質傾向と関連しており、ある程度まで、セロトニン作動性抗うつ剤に反応する。患者が確認や手洗い反応をやめられないのは、アルコール依存症者が酒への欲望を抑制できないのと同じだと見て、ＯＣＤを低い誠実性の問題と見るむきさえある。それが正しいかどうかはともかく、ＯＣＰＤがきわめて違ったタイプの問題であることは明らかである。

それでは、ＯＣＰＤの症状はどのようなものなのか。精神医学者はそれを、「秩序、完璧主義、心と対人関係の統制にとらわれ、柔軟性、開放性、効率性が犠牲にされる広範な様式《パターン》であり、成人期早期に始まりさまざまな状況で現れる」と定義する。では、そのようなパターンはどのように現れるのか。これについて、ある臨床的ケーススタディをもとに説明してみよう。有名な異常心理学の教科書に載っているロナルドのそれである。

ＯＣＰＤの患者は、規則、リスト、スケジュールなどのほか、自分で決めたプランに固執して、細部にまで徹底してこだわる。たとえばロナルドは、ウィークデイには毎朝かならず六時四十五分に起き、二分四十五秒間ゆでた半熟卵を二個食べ、八時十五分には職場の机に向かう。そのあと一日が終わるまで、同じように厳しく統制されたやり方で過ごす。土曜と日曜にはそれぞれ別のスケジュールがある。スケジュールを変えざるをえなくなると、「不安と不快感、そして自分が何か間違ったことをしていて、時間を無駄にしているという感覚」に襲われる。OCPDで目立つのは、手段と目的の乖離である。スケジュールやプランにとらわれることが主眼になり、活動の実際の目的（食事をする、良い日を過ごす、人との結びつきを作る、何かを達成するなど）がまったく見失われてしまう。

OCPDの第二の特徴は極端な完全主義であり、そのためにものごとをやり遂げることが不可能になる。ロナルドは会社で高く評価されているが、それは「彼が細かいことに気がつくため、会社の損失をときどき防いだことがある」からである。だが彼の完全主義はまた、こういう結果をも招く――「彼は職場で最も仕事が遅く、たぶん最も生産的でない。彼は細部をきちんととらえるけれども、それらを全体的視野に立ってバランスよく見ることができない。」OCPDの人たちの多くは完全性に固執しすぎるため、何ごとについても完成することがむずかしくなる。

対人関係もまたひどく損なわれる。彼らはどんな楽しみも、余暇も、目的のない社交の時間も、自分に認めようとはしない。まわりからは厳格で禁欲的と見られる。何が正しく何が間違っているかについても、自分だけのルールに凝り固まって融通がきかないから、他人の目には退屈で、狭量で、頑固と映る。そのうえ秩序に固執するため、他の人を自分たちの日常の習慣に組み込むのが困難になる。たとえばロナルドには、「ベッドに入る前のかなり入念な手順」がある――

まず鼻孔にスプレーを噴霧し、アスピリンを二錠飲み、室内を整え、腹筋運動を三五分間やり、辞書を二ページ読まなければならない。シーツの温度と糊のつきかたは適切でなくてはならない。部屋は静かでなくてはならない。女性を泊まらせたりしたら聖域が侵されてしまうから、セックスのあとは女性を家に帰すか、リビングで寝かせようとする。これではどんな女性とも長続きしない。

OCPDが対人関係をそこない、それゆえに本人の幸せや家族生活にダメージを与えることはきわめて明らかである。彼らはまた倹約家で、何ひとつ捨てることができないため、家の中はきちんと整理されてはいるものの無用なものばかりの貯蔵庫のようになる。

このようにOCPDは人を孤立に追いやる痛ましい障害であるが、本章の最初に述べた誠実性に関わる脳のメカニズムから見てみると、理解しやすい。OCPDでは、自発的反応を抑制し、自分が作ったルールやプランのほうを選ぶという前頭葉のメカニズムがきわめて強力であるため、自発的行動というものはまったく存在しない。あるのはルールやプランだけである。そのため他者と、そして環境との間で、(その時点での)真の相互作用は不可能となる。したがって社会的な場でも、ロマンチックな領域でも、あるいはまた職業や経験の面でも、たとえ貴重な機会があってもとらえることができず、ただ素通りしていくだけとなる。このように、誠実性が強すぎることで生まれる不利が実際にありうるのだ。

過度な誠実性による障害として、もうひとつ、女性に見られる摂食障害がある。神経性食欲不振についての研究から、この障害の患者には神経質傾向がきわめて高いことがつきとめられている。精神医学的な病気のほとんどが高い神経質傾向と関わっている以上、このことは驚くに当たらない。ただこの障害では、それとともに完全主義（きわめて高い誠実性を意味する）という特徴も、繰り返し現れるのだ。さらに、この摂食障害はOCPDと併発することがきわめて多い。摂食障害の患者は、OCPD評定用のチェックリストで高いスコアを出すばかりでなく、この二つの障害は、同じ家系にあらわれる傾向がある。このように摂食障害においては、二つの別個の効果が生じることになり、その相互作用はとくに危険となる。神経質傾向の高い若い女性は、自尊感情が低く、自分の身体についてネガティブな感情をもつ傾向がある。そのため彼女たちは、環境におけるる食物のキューに自発的に反応するかわりに、前頭葉の抑制メカニズムを使って摂食をコントロールしようとする。この場合、前頭葉のコントロール・メカニズムがきわめて強力だと、この戦略はうまくいきすぎて、ついには餓死に至ることがある。

進化の長い歴史において、高い誠実性は局地的な状況によって時には禍となり、時には利益となったに違いない。おおむね、もし環境が非常に安定しており、予測可能で、一定の日に何をするのが最適かが前もってわかっているならば、高い誠実性が選択されたことだろう。誠実性の高い人は組織的で集中力があり、あちこちに気を散らすことがないからだ。だがもし環境が予測不能であれば、いつ襲いかかるかもしれない状況に対して自発的に反応できる人が最も成功するはずである。

このように柔軟性を必要とする状況では、誠実性の高い人はうまくいかない。自分の手順が混乱すると、彼らはうろたえてしまい、順応するのがむずかしいからである。

環境が予測不能で流動的であるならば、現代のＡＤＨＤの若者たちのように誠実性のスコアの低い人たちは、きわめて成功したかもしれない。今日、誠実性の変異分布がきわめて広範にわたっているのは、おそらく人類が過去に経験してきた自然淘汰に一貫性がないことを反映しているのだろう。

私が集めたケーススタディには、ＯＣＰＤに当たるような極端な例は見あたらないが、送られてきたストーリーのひとつに、高い誠実性のもつ利点と、同時にその問題のいくつかを見出すことができる。このケースを紹介して、本章を終わらせることにしよう。ストーリーを書いてきた女性の名はキャサリン、スコットランドの遠方の地方都市で育った。両親はともに医者である。ハイスクールをトップの成績で卒業したあと（同年齢の若者集団で上位数パーセントにいた）、スコットランドで最高の大学のひとつに進み、四年間で二つの学士号を取った。彼女が頑張ったのは明らかである。文章の中で彼女はこう書いている――

私は自虐的なほど大量の仕事を背負いこみました……リサーチのバイト、教務補助、採点業務のバイト、自分の学位論文の完成、大学の課程の残り……二〇〇時間に及ぶボランティアの仕事をすべてやり、学生組織のポストもいくつか選ばれて引き受けました。関わっていたボランティア組織の事務局や財務の仕事もやっていました。

この驚くべき大量の活動の理由は何だろうか。キャサリンは言う――

私の職業倫理はいわば「軽躁状態《ハイポマニック》」といったところです。ほとんど四六時中何かに取り組んでいて、調査したり、考えたり、計画を立てたり、実行したりしています。私にとっては、何もしないというのがむずかしいのです……何もしないで時間を過ごしていたら、自分が怠け者で無駄な人間のように感じてしまいます……重要な事柄を先送りするようなことはしませんし、たいして重要でないことでもたいていはすぐにやってしまいます。

彼女が一番気に入らないのは、「何も達成しないで時間を浪費すること」であり、そんなときは「レールから外れてしまったような感じ」がすると言う。彼女の人生の基調は、「真剣で、必死で、追いつめられたような感じ……くつろぎとは無縁」である――「成功へのプレッシャーを自分にかけているような感じがします……。」このすべてが、彼女の華々しい履歴を支えている。だがどうやらこれは、コストなしではもたらされなかったようだ。医者には一度も行っていないものの、彼女は学校時代の自分が摂食障害ではなかったかと疑っており、摂食にからむ問題がつねに悩みの種になっている。つきあいはあるようだが、親しい友人はほとんどいない。余暇にしても高尚で有益な趣味だけで、どうやら満足のゆく恋愛関係も経験したことがなさそうである。自分に設定したルールが、彼女を厳しい監督者に仕立て上げている。

これまで私は、生きるうえでの理念を磨き、それに従って行動しようと、必死で努力してきました。ときどき私は、その理念が禁じていることをやりたくなります。正しいことをするのはとても努力が要ります。

大学を卒業し、弁護士になるという最初の計画が挫折したいま、キャサリンは少々戸惑っているように思われる。学業優秀で誠実性の高い若者たちの間に、これと同じ症候群がよく見受けられる。高校・大学とつづくハシゴには、頻繁な試験と、勉強という目標がつねに用意されており、努力するための一連のターゲットが与えられていた。とつぜん学校から世界に吐き出されて、ふいに次の目標が何なのかわからなくなるのだ。彼らにとって、この時期は大いなる迷いの時期となる。このとき、誠実性の低い学生たちのほうは、たいして問題にぶつかっているようでもない。彼らは旅に出かけたり、ぶらぶらしたりして過ごし、遅かれ早かれいずれは目指すものが現れてくるのを待つ。キャサリンも、まもなく次の目標を見つけてくれるよう願いたい。それでも彼女の文章は、楽観的な調子で終わっており、彼女のもつ高い学習能力を示している。どうやら彼女は、自分のパーソナリティのもつ危険な要素についてしっかり理解しているようだ。

これまで、私はあまりにも仕事に没頭していて、楽しみや余暇の価値を無視していました。でも最近になって、私は前よりもバランスがとれて、楽しみを歓迎するようになっています。

この言葉に期待しよう！

6 共感する人──調和性

しばらくの間、心理学者の実験室に誘いこまれたと想像してほしい。今、あなたは狭い小部屋の中にすわっている。前には透明なガラスがある。あなたはお腹が空いている。目の前の狭い廊下の向かい側には、あなたの知っている人がいる。どうやら同じように実験台になっているらしい。あなたの前にはレバーが二個あり、片方のレバーを引くと、目の前にトレイが運ばれてくることになっている。今はそのトレイはガラスの壁の隙間の向こうにあり、あなたからは手が届かない。トレイの上には、冷たい水の入ったコップとおいしそうな食べ物がのっている。もう片方のレバーを引いても、同じようにトレイが運ばれてくるが、この場合はあなただけでなく、反対側にすわっている人物にもトレイが運ばれる。さてここで、ひとつだけレバーを動かしていいと言われたら、あなたはどのレバーを引くだろうか。

答は言うまでもないように思われる。第二のレバーを引いても、第一のレバーを引いても、あなたにとっての利益はまったく同じである。だが第二のレバーを引けば、あなたの利益は損われることなしに、同じ苦境にいる人を助けてあげられるのだ。もちろんあなたが引くのはそのレバーだろうし、ほとんどみなが同じことをするに違いない。それはまったく自然なことのようだ。だが、ちょっと待ってほしい。それはだれにとって自然なのか。実はこれといくぶん似た実験が、三つの飼育集団から連れてこられたチンパンジーに対して行われている。面白いことに、彼らは他の個体の利益に対して、何の関心も示さないのである。チンパンジーは自分に最も有利になるように選択する。二つのレバーが同じ利益をもたらすならば、彼らはその二つをでたらめに引くだろう――他のチンパンジーがどうなるかは全然気にもとめずに。

この実験がいっそう私たちの興味を引くのは、第一のチンパンジーと向かい側にいる第二のチンパンジーが同じ集団に暮らしており、なじみのある二匹だったということである。人間の場合、自分の知っている人が向かいの小部屋にいたら、普通は両者に利益をもたらすレバーを選ぼうとするはずだ。それどころか、たとえ相手がまったく知らない人でも、ほとんどの人は二人ともに利益をもたらすレバーを引くだろう。これは人間の生活に見られる大きな謎の一部であり、向社会性とか超社会性とか、さまざまに呼ばれているものだ。献血する、慈善に寄付をする、落ちている財布を届ける、町で知らない人に道を教える。二度と来ることはないとわかっている遠い町のレストランでさえ、チップを置く。なぜ私たちはそんなことをするのか。

この現象をさらに探るために、さまざまな種類の実験が行われている。いわゆる独裁者《ディクテーター》ゲームでは、プレーヤーAは一定の金額——たとえば一〇ドル——を渡され、自分とプレーヤーBとの間で好きなように分けるように言われる。二人のプレーヤーは割り当てられた金を自分のものにする。狭い私利追求の観点からすれば、プレーヤーAはできるだけ少ない額をBに与え、残りを自分のものにすべきであろう——たとえば九ドルが自分で、相手には一ドルというふうに。だが、こうしたことは絶対と言っていいほど起こらない。これは一回限りの状況で、Bと立場が逆転する可能性はまったくないとはっきり言われても、またその金が現実のもので、Bが知らない相手だったときでも、AはBに相当な金額——しばしば半額——を渡す。異なる設定で行われたおびただしい数の実験のすべてが、まったく同じ結果を出しているのだ。こうした人々の行為について、経済学者が出した唯一の結論は、人間には「他者配慮選好」があるということだった。つまり、人物Aが結果から手に入れる実益もしくは満足は、自分自身が手に入れるものだけでなく、人物Bが手に入れるものにも、いくぶん依存するというのである。

日常的に広く見られているにもかかわらず、この他者配慮選好については、わけのわからないところがある。これは人間心理のきわめて謎に満ちた側面である。ダーウィン的見地からすれば、よほど異常な環境が広まっていないかぎり、それが進化するなどということは期待できない。自然淘汰の原動力となるのは圧倒的に、個体間の繁殖成功度の差異だからである。こうして自然淘汰は、個体が自分自身の利益——競争者の利益ではなく——を求めるのに適した心理をデザインする（近親が例外なのは容易に理解できる。きわめて興味深いことに、前述の実験に使われたチンパンジーのうちにはきょうだい――両親が同じ場合と、片親だけが同じ場合――もいたが、そのことは何の違いももたらさなかった)。

なぜ人は他者配慮選好をもつのか。この問いについてはまず、至近要因と究極要因を区別することが大切である。究極的な問題とは、なぜ人類の系統――私たちの知るかぎり他のどの霊長類でも、おそらくはどの動物でもなく――においてのみ、他者配慮選好をもつ個体が自然淘汰によってひいきされたのかということであり、これについては本章の後半で扱うことになる。この究極のストーリーがどこに行き着くにせよ、今はまず目の前の問いに答えなくてはならない。すなわち、人が他者に配慮するようなやり方で行動をするのは、どんな心理能力によるのかということである。この場合、答はかなりはっきりしているようだ。他者配慮的な行動は、心の理論と呼ばれる心的メカニズムの広い傘に結びついている。心の理論とは、私たちに他者の心の状態を類推させる能力である。心の理論によって、私たちは、向かい側の小部屋にいる人が空腹を感じていること、食物を欲しがっていること、私たちが食べものを分けてくれるべきだと思っていること、等々を類推できるのだ。先のチンパンジーの実験が示しているのは、そのチンパンジーがいつも他のチンパンジーに報酬のいかないレバーを選ぶということではない。彼らはただ、他のチンパンジーにとって結果がどうなるかなど、少しも意に介さなかったのである。他の個体が何を欲しているか、彼らはまったく理解していなかったようだ。チンパンジーの「心の理論」能力が、(よく言って)きわめて未発達であることを示す証拠は、これだけではない。*

人間の心の理論は、関連した二つの能力に分けることができる。メンタライジングと共感である。メンタライジングとは、他者の信念とか欲望といった心的状態を類推したり理解したりできることだ。この能力は、生まれてすぐから使えるわけではない。このことを示すのに、二つの指人形を使って短い場面を実演させる古典的な実験が有名である。舞台にはサリーとアンの二人がいる。サリーは籠を持っている。サリーがおはじきを籠に入れ、それから舞台を去る。サリーがいない間に、アンがおはじきを籠から箱に移し替える。そのあとサリーが戻ってくる。ここで被験者に質問する——「サリーはおはじきを見つけようとします。どこを探すでしょう?」

三歳までの子供たちはすぐさま質問に答える。箱の中を見るよ! どうして? だってアンがおはじきを箱に入れたんだもの……。だが四歳を超えると、子どもたちはサリーが籠の中を見るだろうとわかってくる。彼らはすでに、自分たちの知識(おはじきが実際には箱にある)と、サリーの心の状態(おはじきが籠の中にあるという(間違った)信念)とを区別することができるからである。

サイモン・バロン-コーエンらによる有名な実験によって、自閉症患者が特異的にこのタイプのメンタライジング能力に欠けていることが示された。自閉症の患者は、他のタイプの認知課題では

＊本書では便宜上、「心の理論」をメンタライジングと共感との両方をカバーする上位の用語として使っている。文献にはその用法にいくらかのバリエーションがある。著者によっては心の理論を、非情動的メンタライジングに限定しているか、あるいはこれらの用語をまったく使っていない。

成果を挙げるものの、他者の心の状態を類推するのはきわめて困難である。さらに最近になって、「正常な」成人の間でもメンタライジング能力にはきわめて多くの個人差があることが明らかになった。これを実証するためには、正常な被験者ならだれでも簡単にクリアできるサリーとアンの課題よりも、はるかにむずかしい課題が必要となる。この種の課題にはいろいろあるが、そのひとつにピーター・キンダーマンらが考案し、のちにジェイムズ・スティラーとロビン・ダンバーが発展させたものがある。まず被験者に対して、複数の登場人物からなるかなり複雑な物語を聞かせ、そのあとで質問に答えてもらう。質問のいくつかは、物語のなかのさまざまな出来事についての事実記憶をたたき出すもので、被験者が注意を払っていたかどうかをチェックし、実験のベースラインを設定する。残りの質問は、登場人物についてのむずかしいメンタライジングにからんでいる。これは、人間のメンタライジングが入れ子《ネスト》状になっているという事実を利用している――私はあなたの考えを理解することができる、私はだれかの考えについてのあなたの考えを理解することができる、そして私はある人物の考えについてのだれかの考えについてのあなたの考えを理解することさえできる……という具合である。

この課題を使った研究では、ほとんどの人は入れ子の四番目のレベルまではかなり楽に行くことができる。つまり、次のような記述を見て、正しいかそうでないか確信がもてるというわけである。

トムは、エドワードがジェニーと結婚したがっていると、スーザンが思っていると、ジムが信じるように、望んだ。

このレベルより上になると、たどっていくのは極端に難しくなる。たとえば次の例を試してみてほしい。

スーザンが何をしたいのか、ジョンが知っていると、シーリアが考えているのかどうか、ペニーに見破らせたいと、トムが望んでいると、ペニーが思っていると、ジョンは思った。

だが正常な被験者集団のなかでも、人によっては他とくらべてこの課題をうまくやりこなす者たちがいる。この違いには意味があるようだ。たとえば課題を上手にやりこなす人は、それほどうまくない人にくらべて友だちが多いのである。ベス・リドルは学齢期の子供用にこの課題を作りかえて実験を行った。その結果、子供の出来具合は、彼らが友だちとうまくつきあえるかを評価した教師の査定と、強く相関していた。このようにメンタライジング能力には集団内で違いがあり、それが個人の行動の結果に現れているようである。

心の理論のもうひとつの側面は共感である。これもまた、他者の心の状態を推論することに関わっているが、対象となる心の状態は情動である。他者の情動に共感することで、私たちもまた潜在的にそれに影響を受ける。私たちがだれかに向かってこう言うとする——「どんなに恐ろしかったでしょう！」このとき、私たちは相手に共感している。脳画像によると、この共感能力が使っている脳領域は、メンタライジングに関わる領域のいくつかに加えて、実際に直接その感情をもつことに関わる領域である。このように、メンタライジングと共感の能力ははっきり重なっている。ただ、あとで述べるように人格形態によっては、どちらかが他方より強く関わっているかもしれない。

このように、心の理論が向社会的行動を支える心理的能力であり、その心の理論の働きに集団内変異があるのだとすれば、当然ながら人の向社会性の度合についても、集団のなかで個人差があるはずだ。このことは私たちが日常つねに経験していることである。始終他人の必要に思いをめぐらし、手間を惜しまず、親切で、しかも公平な人もいれば、逆にまわりの人の必要だとか欲求など気にもとめず、自分の利益しか考えずに我が道を行く人もいる。同じように、独裁者ゲームでも全員が同じ行動をとるとは限らないのだ。

パーソナリティの五因子モデルでは、調和性と呼ばれる特性を評定データから割り出している。この調和性で高いスコアを取る人は、協力的で信頼でき、共感性があるとされ、逆にスコアの低い人は、冷淡で、敵意があり、不服従だとされる。これらははっきり向社会性の次元を表しているのだが、奇妙なことに最近まで、研究者のなかでだれも調和性と心の理論をリンクさせようとした者はいなかった。私はこの二つの間の相関を調べることに決めた。この二つに関係があるのでは……

と思った最初の手がかりは、ＥＱ（共感指数）と呼ばれる測定値と五因子モデルの調和性とが、きわめて高い相関を示していることだった。共感指数とは、心の理論を研究しているサイモン・バロン-コーエンらによって、その能力の個人差を評価するために工夫されたものである。ただ調和性と同じように、ＥＱもまた、質問紙による自己評定に基づいた測定尺度である。したがって、ここで心の理論の計測値と調和性の関係を示すのに、あからさまに自己評定に頼らないほうが説得力があると思われる。そこでベス・リドルと私は、先に述べたキンダーマン-スティラーのストーリー課題を六〇人の学生にやらせ、一方で、五因子パーソナリティ質問紙を書き入れてもらうことにした。その結果、ストーリー課題から割り出した心の理論のスコアと調和性のスコアとの間には、有望な相関——約０・５——が見られた。完全ではないにせよ、偶然というにははるかに大きい値である。

そうなると、調和性が高いとは、他者の心の状態に注意を払う傾向があるということであり、また決定的なのは、それを行動の選択要因のなかに含めるということである。これに関連して、最近ある独創的な実験が行われた。被験者の目の前のスクリーンにはさまざまな単語が提示される。このとき被験者が、「誘拐する」、「襲撃する」、「悩ませる」といった言葉とくらべて、「思いやりがある」、「慰める」、「助ける」などの言葉を処理《プロセス》するのにどのくらいの時間をかけたかは、彼らの調和性のスコアによって予測された。それらの言葉を好むということは、向社会的で暖かく、人を信じる行動につながる。調和性のスコアが高い人は、他者を助け、調和的な対人関係をもち、良好な社会的サポートをもつ。人と争ったり、侮辱することもめったにない。何かあってもすぐに許し、実際に相手が悪くてもあまり怒ることはないのである。

マリアを例にとろう。マリアは調和性尺度でほぼ最高のスコアを記録している。フロリダの中規模の大学で、准教授としてラテン・アメリカ研究に携わっている。明らかに優秀な若い学者である彼女が語るのは、しかし自分の個人的な業績よりも他者との関係のほうである。話の内容から、彼女が学部のスター教師らしいと推測できるものの、彼女はそれに深く触れることなく、対人関係のほうに話をもっていく──

私の個人的な関係はすばらしく良好です。結婚生活、家族や親族との絆、義父母との関係、大学の同僚やいろいろな友人との関係。彼らとの間で長年にわたって育んできた愛情と友情は、私にとって非常に価値のあるものなのです。

彼女の研究室にはたえず人が訪ねてきては、おしゃべりに花を咲かせる。ふつう大学人は勉強の邪魔をされるのを非常に嫌がるものだが、マリアは違う。「私は人とつきあうのが大好きです。同僚たちとの交流は私にとって喜びです。」家で仕事をすればもっと仕事ははかどるのだが、あえて研究室で仕事をするのはそのためなのだ。ほとんど毎日会っている家族、幸福な結婚生活……すべてが良好な人間関係を物語っている。それでも彼女は、自分が「あまりにも研究に打ち込みすぎて、愛する人たちをあまり顧みていないような気がして」いるので、仕事を制限することを決心したと書いている。これからは「研究への努力はつづけるけれども、愛する人たちや大好きなことをないがしろにしないように」するつもりだという。人間関係と個人の向上との間の折り合いについては、のちにまた触れることになる。

このように緊密な人間関係と、生産的な仕事を楽しんでいるマリアだが、彼女が関わっているのはそれだけではない。彼女の言葉を借りれば、「道徳的な意味で私にとって快い活動を少しだけ」やっているのだ。そこにはダウンタウンでヒスパニック系の移民たちを助けるボランティアの仕事や、献血活動などが含まれる。道徳的な満足というこの考え方は、高い調和性パーソナリティの本質をなす強い要素のようだ。私の通信員たちのなかでも、調和性のスコアの高い人の多くは、カウンセラーだったり、ソーシャルワーカーだったり、あるいは他人のために尽くすボランティア活動に関わる人たちである。

人間関係への関心と道徳的喜びとが、高い調和性パーソナリティのもつ固有の特徴だとしたら、低い調和性パーソナリティはどうなのだろう。すでに述べたとおり、彼らは平均とくらべて、あまり他の人を信頼したり助けたりせず、冷淡だったり敵対的になる傾向が強い。また、人間関係は調和を欠き、「慰める」などの相互交流的、協調的な単語よりも、「襲撃する」のような個人中心的、競争的な言葉の処理《プロセス》に多くの時間を割く。心の理論の働きが少なくなっているのは、偏執症《パラノイア》とも関連づけられている。結局のところ、相手の心の状態を正確に思い描くことができなければ、それを敵対的と見るしかないのかもしれない。

私がこれまで集めてきた報告のなかに、いま述べたテーマをきわめてはっきりと例示するものがある。その人物の詳細については情報を控えたいが、マリアとの対比に必要な部分だけ述べることにする。マリアが家族との親密さについて書いているのとは対照的に、この人物は、「家族への不信に苦しんだ」幼い時代のことを語る。両親は「二人とも無責任な大馬鹿者だった。やつらの種で遺伝子プールを汚染する権利なんかなかったし、ましてそれを育てるなんてとんでもない話だ」そうである。彼によれば、父親は「意気地なしで、嫉妬深くて、けちくさくて、幼稚な野郎」で、母親は「怠け者で、弱くて、愚かで……エゴイストで、幼稚で、なかでも嫌なのは嘘つきで……何ひとつ良いところのない、信用できない女」だった。客観的にこれが事実かどうかはともかく、調和性の低い人物の書いたもののなかでも、これほど他者について敵意ある評価をしている例は見たことがない。

マリアが他の人のためのさまざまな活動に道徳的満足を感じているのにくらべて、この人物が異常なほどの関心を寄せるのは、自分の個人的な成功である。「私には未来の自分の姿を見ることができる。そのとき、私は偉大な仕事を達成し、革命的な新しいアイディアを発見し、全世界の人々から畏敬の念をもって見られている。」そのような将来の展望が他の人々から利己的と見られることについて、彼ははっきりとこう述べる——

そんな批判は、頭の悪い人間どもが私の評価を落とそうとしているだけのことだ。自分より劣る人間たちのことになると、なぜいつもこの利他主義という考え方に屈服しなくてはならないのか。私が重視するのは、他のだれの利益でもない、つねに、疑いなく私の利益である……サバイバルとはそういうものではないのか。

この一節で興味深いのは、この人物が明らかに他者配慮選好をもっていない――少なくともマリアほどには――という点である。論理的には、彼の言うことはまったく正しい。ダーウィン的見地からすれば、自分自身の（そしておそらくは自分の子孫の）繁栄を他のだれのものよりも優先するというのは、一般には個体にとって最大の利益となる。ただ、ここで人間だけに見られる不思議な心理――他者配慮選好――を考えたとき、この価値基準がこれほどまでに大胆に表現されているのを聞くのはきわめて奇異である。「私は人を助けるのは好きではない」――別の場面で彼は言う――「人道的な愛に駆り立てられて人類の病を救おうなどと、考えたこともない。」明らかにこの報告とマリアの道徳的満足についての報告は、調和性のスペクトルの対極にある。そして私たちの大半は両者の間のどこかに収まるのだ。

このスペクトル上で、調和性の極度に低い端には、精神病質《サイコパシー》と呼ばれる異常が見出される。精神病質者《サイコパス》とは、完全に自己中心的で、冷酷で、不正直で、愛する能力を欠き、もっぱら自らの目的を達成するために他者を利用する傾向をもつとされる人間である。先ほど例に挙げた人物が、実際にサイコパスだと言っているわけではない。実のところ、彼はそれほど極端に近いわけではないのだ。むしろ私の考えでは、サイコパシーとは全《オール》か無《・オア・ナッシング》かの現象ではない。すべての心理学的特徴がそうであるように、サイコパシーにも明らかにさまざまな程度がある。それにしても、サイコパス層《クラスター》が調和性スペクトルの低極にいるのは確かである。*

サイコパスの多くは札付きの犯罪者である。彼らはしばしば人をぺてんにかけ、欺き、あるいは巧みに操って、富や名声、もしくは満足を手に入れようとする。彼らはまた、きわだって攻撃的である。ただ、すべての攻撃行動がサイコパシーのサインというわけではない。神経質傾向の高い人もまた、特定の状況のもとでは衝動的に攻撃的になるかもしれない。すでに見てきたように、彼らはきわめて強いネガティブ情動システムをもっており、脅威と感じる対象に強く反応しがちなのである。したがって神経質傾向の高い人が攻撃を見せるときは、つねに何らかの脅威や挑戦(と見な

*サイコパシーは現行の精神医学診断マニュアルでは認められたカテゴリーではない。最も近いカテゴリーは、反社会性パーソナリティ障害であるが、この広汎な症候群には明らかに異種類の要素が混合している。その定義は、基盤となる心理的特質にではなく反社会的行動に焦点を合わせている。刑務所に収容されている人員の80パーセントが、反社会性パーソナリティ障害に当てはまると推定されている。しかしながら、人々が反社会的に行動するのにはさまざまな多くの理由があり、サイコパシーはその一つにすぎない。社会病質者(ソシオパス)という用語がときどき、サイコパスと同じような意味に使われている。自己愛パーソナリティ障害の診断もまた、低い調和性に特徴的な、自我中心性と共感の欠如をいくぶんとらえている。

されるもの）への反応として起こる。いったんパニックが静まったあとは、おそらく自責や後悔に移っていくだろう。サイコパスの攻撃はこれとは違う。サイコパスは、道具として攻撃を使う。それは自分の利益になる何らかの目的を手に入れるためであり、事前に計画されたものである。標的とされる相手からの挑発もなければ、後悔を伴うこともない。彼にとって、相手が味わう苦痛など、文字どおり何の重みももたないのである。

調和性の低い人がすべて道徳的に悪いわけではなく、必ずしも敵対的になるわけでもない。サイコパシーは、複雑な布置〔関連する思考・感情・性格のグループ〕である。中核となるのは、共感の欠如のようだ。これはきわめて低い調和性のもつ特徴と一致する。だが犯罪性のサイコパスは、同時にまた、誠実性が低いという傾向がある。このことは、熟慮とコントロールがかなり欠けていることを意味する。さらにまた、彼らはしばしば不安とは無縁で、そのため恐れもなく自分の計画を推し進める。実は不道徳な、あるいは反社会的な行動を抑制する原因として、はっきりした三つの心理的要素がある。第一は他者への共感である。ひょっとしたらこれこそ最も重要な要素かもしれない。第二は熟慮である。目先の反応にとびつかず、行動の結果をじっくり考えるならば、とりあえず当面の報酬を見合わせ、先に据え置かれたもっと大きな報酬を手に入れたほうが、長期的にはうまくいきそうだと気づくことが多い。第三の要素は恐怖である。もし他のだれかをぺてんにかけたりだましたりすれば、見つけられて罰を受けるかもしれない。そのことへの恐怖が私たちを思いとどまらせるのである。

これらの三つの抑制要素は、それぞれがいずれかのビッグファイブ・パーソナリティ次元の低極に対応する。調和性がきわめて低い人は共感を欠くが、それでも熟慮もしくは恐怖によって反社会的行動が抑制される。誠実性が低い人は熟慮を欠くが、共感もしくは恐怖が彼を抑制するかもしれない。神経質傾向が低い人は恐怖をもたないかもしれないが、共感と熟慮によって抑制されるかもしれない。この三者構成システムのおかげで、ありがたいことに、向社会的行動の確率が高くなっているのである。本物の冷たく残酷なサイコパス行動が出現するのは、三つの水門がすべて開いているとき――調和性と誠実性と神経質傾向の三者すべてがきわめて低いとき――だけである。たとえば五〇人に一人が、この三つの「オープン・ゲート」のひとつをもっていたとしても（ほぼ正確な推計である）、ビッグファイブのスコアがたがいに独立していることを考えれば、本物の邪悪な人間になる危険があるのは一二万五〇〇〇人にひとりとなる。ありがたいことにこの数字は、現実の私たちの経験と一致している。ある人間が他の人間に責め苦を与えたり冷酷に搾取したりすることがこれほどマスコミの関心を煽るのは、まさにそれがきわめて稀で、常軌を逸しているからなのだ。*

*反社会的行動へのブレーキとしての調和性、誠実性、そして神経質傾向――ここで私は神経質傾向の役割を単純化している。リサーチからは、反社会的な人物は神経質傾向がきわめて低いか（結果に対する恐怖をもたない典型的な精神病犯罪者）、あるいはまた、平均よりも高いか（あまりにもネガティブな感情に襲われて絶望的に攻撃に向かう人々）のどちらかだと示唆されている。したがって、反社会性に対して最大の抑止力となるのは、神経質傾向が平均的レベルであることかもしれない。

ここで低い調和性パーソナリティが必ずしも敵対行為に結びついていないことを強調した理由は、私のケーススタディからもわかるように、低い調和性のスコアにもかかわらず現に良き市民として生活している人が多いからである。第3章で例に挙げたディヴィッドはどうだったか。メリーランド出身の生化学の研究者で、外向性が低く、キャリアの野望や物質的成功にあまり心を動かされない人物である。ディヴィッドはまた調和性のスコアも低い。それにもかかわらず、彼は頼りになる夫で、良き父親であり、有能な教師であるとともに、信頼できる同僚である。だが彼は、人々に対する自分の態度について、好感のもてる率直さで綴っている。彼は人生というものに強い興味をもっており、哲学、科学、そして自然とのふれあいを楽しんでいる。「静かな晴れた朝、庭に出て、花や昆虫、小鳥、動物、そして自然を観察するのは、私にとって天国です」と。ただ、人間にはたいして興味がない。彼は自分の対人関係が「どちらかと言えば限られている」と書き、こう続ける——

たいていの場合、人間とのつきあいは私にとって退屈に思えます。私は一人でいるほうが好きです。一人でいれば、自分の考えを好きなようにはばたかせられるのですから。

彼は自分でも、「人々への関心の欠如が、組織でうまくやっていくのを妨げている」ことを認めているが、それでも「自分を変えようとは思いません」と言ってのける。たしかに、なぜそうする必要があるのか。別にだれにも害も与えていないのだ。彼が自分と人々との関係について書いているなかに、もう一箇所、興味をそそる部分がある——

大体において、私は必要もないのにややこしい事態に巻き込まれるのを避けています。対人関係もしばしばその手の面倒をもたらします。そこには、ステータスやランキング競争にからむ隠された行為や信号があふれており、私を苛立たせます。だからこそ、私はそんな交流に加わりたくないのです。

人間関係がステータスやランキングに関する信号であふれているということは、私も否定しない。興味を引くのは、人々の会話が「隠された」事柄を含んでいると言っていることなのだ。言葉の下に隠された心の状態を解読するのに生まれつきあまり関心のない人たちにとって、人々との会話は複雑でほとんど不透明の代物なのだろう。

これは当然、自閉症という問題につながっていく。自閉症という障害もやはり、心の理論に問題がある。そうだとすれば、自閉症とサイコパシーとの間に何らかの本質的な類似性があるのだろうか。たしかに自閉症の人は、社会的関係を形成するのに問題があり、人と関わるのがむずかしいためにトラブルに陥る。だが、その障害の性質は、サイコパスのそれとはいくぶん違っているようだ。ここで役に立つのが、心の理論の二つの構成要素、すなわちメンタライジングと共感の区別である。自閉症者にとって他者の心の状態を予測するのはむずかしいが、他の人が苦しんでいるのを見ると、比較的正常なやり方で生理的に反応する。つまり彼らはメンタライジングはできないが、他者の苦痛を示すきわめて直接的な証拠をとらえると、たしかに共感するのだ。これとは逆にサイコパスは、他者の心の状態を予測することにかなり長《た》けている。だからこそ、あれほど効果的に人を操作したり欺いたりできるのである。彼らに欠けているのは、このメンタライジングの結果を情動システムに結びつける働きである。彼らはメンタライズするが、共感はしない。したがって、必要なときに他者の心の状態を類推することはできるけれども、それらは彼らの行動の選択にまったく影響をもたないのである。

　共感とメンタライジングが、どのくらい完全に分離されうるかは、まだわかっていない。この二つがそれぞれ依存している脳のネットワークはたがいに重複しており、多くの「心の理論」課題も、明らかに共感とメンタライジングの両方を引き出しているからだ。ただしどうやら調和性は、メンタライジングよりも共感のほうにより近いようである。調和性が低いということは、自閉症と違って、他者の心の状態が解けないのではない。解いた結果に関心がないだけなのだ。私がベス・リドルとともに行った調査も、このことを裏づけている。調和性とストーリー課題の出来栄えは相関していたが、「目から心的状態を読み取る（reading the mind in the eyes）」テストと呼ばれる別の「心の理論」課題では、調和性との相関は見出せなかった。後者の課題では、被験者は直接的に他者の心の状態を推測することを要求される。調和性の低い被験者も、ここではうまくやってのける。一方、ストーリー課題では、被験者は目的を知らされずにストーリーを聞き、そのあと、どの状況に注目し、覚えていたかについて、質問に答える。調和性の低い被験者は、高い被験者にくらべて、登場人物の心の状態について少ない情報しか提供できなかった。

もし調和性の高い人たちが、調和した人間関係と良好な社会的サポートをもてるのだとしたら、明らかに調和性が高いというのは良いことではなかろうか。この質問に対する答は、その「良い」が何を意味するかによる。私たちにとって、まわりに調和性の高い人がいるのは、精神的に「良い」ことだ。なぜなら彼らには他者配慮選好があり、それに基づいて行動するからである。だが本人にとって調和性が高いことは、人生においてうまくやっていくという面から見ると、必ずしも「良い」わけではなく、さらにまた、究極の流通価値であるダーウィンの適応という点から見ても、純粋に恩恵とは言えそうにない。

自然淘汰が最終的に報酬を与えるのは、競争者の利益よりも自分自身の生存と繁殖の利益を増進する行動である。通常の環境においては、それは種あるいは集団の利益のための行為を罰する。そのような行為は当然ながら、その個体の系統が手に入れる相対的利益を減らすことになるからだ。高い調和性が、自分自身の利益だけでなく他者の利益をも考慮に入れることであるとすれば、それは進化の逸脱のように見える。人類のいとこであるチンパンジーが、他の個体の利益になんの興味も示さないのは、この意味でまったく驚くべきことではない。

いったいなぜ、人間には向社会性という進化の逸脱が生じたのだろう。この問題には、まだ完全には答が出ていない。だがどんな理由だったにせよ、小さな長期的社会グループのなかで協力し合って生きていた私たちの祖先にとっては、好ましいものだったにちがいない。グループの構成員でいることの利益は高く、社会的追放がもたらすコストはほとんど致命的だった。そのような環境のもとでは、つねに良きグループ・メンバーであり、どんな犠牲を払ってでも反社会的という評判を避けることが有利になったのである。言い換えれば、その状況は、他者の利益にこの上なく注意を払うことが、そのまま強い自己の利益になるという、変わった淘汰圧を生み出した。他者への配慮こそが、グループの確固たるメンバーとして評価されることにつながるからだ。それに加えて、人間は言語をもっている。メンバーが協力的でないと、その情報は言語を通じて集団内に伝わる。このような情報の伝達によって、だれかに対して非協力的な行動をとれば、相手との将来の関係だけでなく、コミュニティ全体との関係にまで連鎖反応をもつことになる。それだけにいっそう他者を気に留める必要が出てくるのだ。

　他者を気に留めるにしても、正確にどの程度が最適と言えるのだろうか。他者配慮選好度は明らかに連続体になっており、たとえば自分の利益が八割、他者の利益が二割といった「少しの思いやり」と言えるものから、二割が自分、八割が他者の利益といった「強い他者配慮」までさまざまである。私の考えでは、調和性の次元とは、本質的に人がどれほど他者に配慮しているかを示すものである。調和性のスコアの低い人（サイコパスのように）は他者の利益をゼロに近いところに評価し、スコアの高い人（マリアのように）はかなり高く評価する。私たちの祖先の時代、（理論上）

最高値の調和性スコアをもつ人は、絶対に適応することができなかっただろう。この極端な状態が意味するのは、他者の利益を100パーセント評価し、自己のそれをゼロに評価することだからである。こんな人たちがまわりにいたら、それはすばらしいことだろうが、彼らは現代のこの世界に子孫を残すことはなかった。なぜなら彼らは、集団の全員に行き渡るだけの食料がないとき（祖先の時代にはしばしばそうであったように）にも、他のみんなが腹いっぱいになるまで食べようとしなかったからだ。現代の集団でこのタイプに最も近いのは、「依存性パーソナリティ障害」と呼ばれている状態である。これはきわめて高い調和性を特徴とする珍しい症候群で、患者はその極端な調和性ゆえに、完全に自分の必要や価値観、選択の自由、楽しみ、そして目標を犠牲にして他者の欲求を満たそうとする。一方、連続体の反対の端には、向社会的傾向をまったくもたない人々が想定されるが、彼らもまたほとんど子孫を残さなかったと考えられる。このような人々は社会的に追放され、避けられたはずだからだ。したがって自然淘汰は、この二つの極端の中間のどこかにいた人々に有利に働いてきたことになる。

それにもかかわらず、調和性における個人差は維持されてきた。その理由はおそらく、「自己指向vs他者指向」の最適度が、局地的な生態環境によって微妙に変化してきたからだろう。たとえば手に入るタンパク源が鮭しかなく、それを捕るのに堰を作る必要があるような環境では、大集団の全員が協力して堰作りと保全を行う必要がある。この場合、良き協力者であることは明らかに自己の利益にかなうものだった。他方、自力で捕えられる小動物が豊富な時期には、利己的な個体のほうが有利だったはずだ。人間がその生活手段と社会的状況を変えていくにつれて、調和性への淘汰圧もまた、あちらこちらへとそれを引っ張っていったのだろう。

調和性の報酬がたえず変わるのには、もうひとつ、さらに特異な理由がある。それは頻度依存性だ。第2章で見たように、頻度依存性とは、ある行動が稀少であるかぎりは報酬を受けるが、それが一般的になってくると不利になる状況のことである。進化学者たちが協力行動の進化について模擬実験を行うと、結果はどれも混合平衡状態となる。頻度依存性のせいで、協同性と非協同性とが同じ集団に共存するのだ。その理由を探るために、ひとつの例を考えてみよう。

何人かからなる人類の祖先のグループを考える。彼らは資源をめぐって別の個人と対立すると、闘うか、引き下がるかのどちらかを選択できる状況で生きているとする。はじめのうち、その集団にはつねに引き下がるメンバーだけしかいなかったが、あるとき突然変異によって、闘う個体が現れた。その個体は、その集団において信じられないほどの成功を収める。出会う相手はすべて、脅されてたちまち引き下がり、彼は好きなだけ資源を楽しむことができたからだ。その結果、彼の適応度は高くなり、善良な人たちを尻目にして、彼の系統は繁栄する。だが、やがて彼の子孫が集団のなかで優勢になるにつれて、おたがいに出会って対立するケースがふえてくる。そのたびにすさまじい闘いが起こり、たがいに傷つけあって、双方に手痛い結果をもたらす。集団の95パーセントが攻撃的タイプになると、対立はほとんどこのような結果を生む。この時点で、善良な人々がまた成功を手にし始める。むろん、彼らは資源を争って手に入れることはない。だが少なくとも、そうした闘いから生ずる恐るべき代償をこうむらないですむ。こうして彼らの適応度は高くなり、その子孫は優勢になってゆく。そしてまた、同じことが繰り返される。彼らの子孫がふえるにつれて、またもや攻撃的な個体が相対的に有利になるのだ。こうしてこの集団では、闘うことの正確なコストと資源の利益によって決定される何らかの均衡比をめぐって、善良な人々と攻撃的な人々の頻度が変動していく。

他者配慮選好の均衡レベルについても、これときわめて似た推論を行うことができる。事実、リンダ・ミーレイらは、サイコパシーの進化に頻度依存性シナリオを提唱している。基本的に他者配慮性の人からなる集団で一人だけサイコパスだった場合、その人物は成功するはずだ。なぜなら、彼のまわりはほとんどが親切で他者を気づかう人ばかりだからである。彼は自分の利益になるように彼らを操作し、自分の目指すものを手中に収める。だが、その集団でサイコパシーが優勢になってくるにつれ、彼が出会う人たちもサイコパスか、あるいはまたサイコパスと関わった経験から警戒心をもつに至った人たちが多くなってくる。こうして、サイコパスは以前よりも成功するのがむずかしくなる。いったんサイコパシーがありふれたものになると、ホッブス主義〔人間の自然状態を闘争状態にあると規定した〕のカオスの海に漂うよりは稀少な向社会的人間として、協同的行動の島を維持しようと努めるほうが有利になってくる。

以上の考察から示唆されるのは、調和性の高さは良き社会関係という点では利益をもたらすということであり、事実そのとおりなのだが、個人的成功という点からはいくぶんかのコストもありうるということだ。これが事実だという根拠もある。たとえばマリアは、自分にとって大切な人たちとの良い関係を保つためには、仕事の実績をある程度犠牲にするつもりでいるのだ。ある研究がパーソナリティとキャリアの成功を調べている。おおむね四十代の企業管理職約四〇〇〇人を対象としたその研究によれば、収入、昇進度、社長になる可能性のそれぞれで、調和性のスコアはネガティブな予測要素であった。言い換えれば、管理職としては、調和性が低いほど成功するのである。平たく言えば、「いいやつ《ナイスガイ》」ほど出世しないのだ。さらにまた、次章で述べるように、クリエイティブな素質は開放性というパーソナリティ次元と最も緊密に結びついているのだが、現実にクリエイティブな仕事で成功するかどうかを予測するのは調和性だということも明らかになっている。つまり、調和性が低いほど成功するのである。成功したいならば、冷酷でなくてはならず、自分自身と仕事を第一に考えなくてはならない。オスカー・ワイルドは『獄中記』でこう書いている――「私の人生のどの時期においても、芸術とくらべたとき、私にとって重要なものはひとつとしてなかった。」*

ここで、ある心乱れる推測が浮かび上がってくる。常日頃から私たちは、現代の巨大な組織――

*注意すべきことは、低い調和性は高いステータスを達成するのに役立つかもしれないが、それだけでは十分ではないということだ。外向性――報酬を追求しようという欲求――もまた重要なのである。本章におけるデイヴィッドは、調和性が低いものの、外向性もまたきわめて低いため、高いステータスを追求したいという欲求はもたない。

企業、政党、大学等々——がおおむね、サイコパス傾向のある人々にリードされていると感じている。たしかに、もしその地位にたどりつくのに非情さが必要なのだとしたら、その人たちは私たちがその仕事をやらせたいと思うような人物ではありえない。ありがたいことに、これはたんに統計的傾向であり、いくらかの例外はある。心乱される推測といえば、もうひとつ、あまり探られることのないテーマがある。さまざまな文化に共通して見られることだが、女性に対して夫に望むことは何かと聞くと、真っ先に親切さと共感を強調する傾向がある。だが同時に、彼女たちは社会的地位と物質的成功をもかなり高く評価するのだ。両者の間には葛藤がある。親切と共感は高い調和性を意味するが、個人的成功は調和性の低さを意味しがちだからである。女性たちがこの二方向の綱引きをどうやりこなしていけるのか、私にはわからない。だが、これは現実の問題である。あなたに華やかなライフスタイルを与えることのできる人物は、おそらく生活をともにしたいと思うタイプの人物ではないかもしれないのだ。

ここで読者は、あるパターンに気づいたかもしれない。マリアは女性であり、デイヴィッドは男性である。依存性パーソナリティ障害は主に女性の症候群であり、サイコパシーはおおむね男性のそれである。パーソナリティ研究における男女間の違いのうち、最も確かなもののひとつに、女性が男性よりも調和性が高いという事実がある。標準偏差の半分以上、上回るのだ。男女間で重複している部分は多いにせよ、このことは、平均的な男性が取るスコアは女性全体の七割よりも低いことを意味する。女性はまた「心の理論」課題でも有利である。それだけでなく、この違いが人間の生物学に深く根ざしているという科学的裏づけがある。実験的に女性にテストステロンを与えると、共感的行動が少なくなるのである。

この違いはどこからきたのか。それが示唆するのは、女性は進化の歴史において、男性のように個人のステータスを獲得することよりも集団における調和的なメンバーであることによって、より多くの利益を手に入れてきたことである。逆に言えば、男性は女性のように良い対人関係を多く築くより、個人のステータスをふやすことによって、大きな見返り《ペイオフ》を受け取ってきた。これには多くの理由が考えられる。

まず第一に男性の場合、繁殖の成功に関わる個人差は、女性のそれよりも大きい。きわめて高いステータスの男性は、多くの子供の父親になることができる。たとえばモロッコの繁殖力旺盛な皇帝、ムーレイ・イシュマエルは、少々信じがたいにしろ、八八八人の子どもの父親であったとされている。それにくらべて女性の潜在的な出産能力には限界があり、生むことのできる赤ん坊の数は限られている。したがって男性にとってステータスの高さは、見返りとして桁違いに大勢の子孫をもたらしうる一方、女性のほうはまもなく生物学的上限にぶち当たってしまう。それゆえ祖先の男性たちにとって、ステータス獲得がもたらす利益は、人間関係を損なうコストを相殺するほど高かったのであり、逆に女性にとっては両者の間のバランスは違っていたのだろう。

第二のポイントはいま述べたこととも関係している。つまり、女性はしばしば養育すべき子供たちを抱えているということだ。人間の子供は成人まで育つのにきわめて長い時間が必要である。祖先の人々が生きた環境では、生まれた子供を大人まで育て上げる能力の差がそのまま、女性の間での繁殖成功度の差につながった。そして社会的能力のある女性は、自分と子供たちを守るためのすぐれた人間関係のネットワークを維持することができたのである。これには男性との関係も含まれるが、おそらくもっと重要なのは、他の女性たちとの関係であったろう。子育てと生計に関わる女性間の結束は、多くの文化に見られる顕著な特色である。女性は男性よりもおたがいに強い友情を育み、一族の世話をする。心理学者のシェリー・テイラーは、すべての哺乳類において、脅威に対する「闘争もしくは逃走《ファイト・オア・フライト》」反応は、実際にはオスだけに特有の反応だとさえ述べている。女性の場合、脅威に対する反応は、「世話と友情」と言うほうが適切であろう。

調和性に見られる男女間の違いは、社会における性差別論争に興味ある光を投げかける。メディアはよく、大企業で女性が社長になっている例が50パーセントをはるかに下回るとして、激しく非難している。だがこれは、本当に差別が行われていることを裏づけているのだろうか。実際には差別がないのだが、社会的連携を犠牲にしてまでステータスを重要視する女性が、それほど多くはないということも考えられないだろうか。すでに述べたように、調和性とキャリアの成功との関係や、調和性における性差を考えれば、男女の機会が完全に均等の場合、トップの地位につく女性の数を推定することは可能である。結果はゼロではないだろうが、50パーセントにはならないであろう。

これはけっしてアンチフェミニストの主張ではない。フェミニズムの基本的目標のひとつは、公平さである。つまり、男性でも女性でも同じ適性とモチベーションがあれば、与えられる成功のチャンスは平等であるべきだということだ。このことについてはまったく疑う余地はない。だがそれは、現実に男性と女性とが平均して同じモチベーションをもっているということにはならない。したがって、社会のあらゆる分野で男女が等しく活躍するというのは、必ずしも期待すべきではないのである。もうひとつ、フェミニズムの第二の目標は、女性の多様な価値を賛美し、実証することである。それらはしばしば男性の価値とは異なっている。そうであれば、女性が男性のようでないことを残念がるよりも、多くの女性に——マリアのように——備わっている向社会的指向を評価するほうがずっと重要なのである。

7　詩人——経験への開放性

ようやくいま、五番目の——そして最後の——大きなパーソナリティ次元にたどりついた。五つの次元のなかでこれが最も謎めいていると言っていいだろう。実際、これにははっきりした定義を与えるのがむずかしい。この次元は、「文化」とか「知性」とか、あるいは「経験への開放性」とか、さまざまに呼ばれている。私自身は「経験への開放性」という呼称が気に入っている。この五番目の要素について、初期の概念は、一方の極に「粗野」を置き、他方の極に「教養」もしくは「洗練」を置いていた。だが、明らかに教養や洗練は気質というよりは、なかば社会経済的機会の産物である。五因子モデルの権威であるロバート・マクレーとポール・コスタが皮肉たっぷりに述べているように、「もしこの特徴づけがその後の研究で確認されていたならば、開放性のトピックはひょっとするとパーソナリティ心理学ではなく社会学のハンドブックに属していたことだろう。」もっとも、これは少し誇張した言い方かもしれない。社会経済的機会は馬を水辺につれていくかもしれないが、個体によって飲む量が違うという事実を説明することはできないからだ。逆境にもめげず文化的機会を求める人がいる一方で、文化的機会が簡単に手に入るにもかかわらず、それを利用するのに関心のない人がいる。おそらくこのようなケースを説明するのが、開放性という次元なのだろう。

余暇活動についての最近の研究によれば、開放性のスコアは、あらゆる種類の文化的、芸術的活動にどれほど関わっているかを強く予測するという。人によっては読書を好み、また人によっては画廊に行くのを好む、ということではない。一方には読書にも画廊にも劇場にも音楽にも熱心な人がおり、他方ではそれらのどれにもたいして興味がない人がいる。あらゆる文化的余暇活動に関わろうとするこの傾向は、ただひとつ、開放性によって予測される（開放性がネガティブに関わるのは二つの余暇活動だけで、残りはすべてポジティブである。その二つとは、ソープオペラを見ることと、ロマンス小説を読むことで、おそらくこれらの比較的努力を要さない活動は、他のもっと努力を要する趣味に充てられる時間がふえるにつれて消えていくのだろう）。

研究者によっては、この五番目の要素を「知性」として、すなわち複雑な認知的刺激を求め、探ろうとする傾向として見る。この点で、五番目の要素は知能の概念といくぶん似ている。実際に、開放性とIQスコアとの間にはポジティブな相関がある。相関係数はおよそ0・3で、ゼロよりもかなり大きい。知能のうちでも、言語と知識に基づく側面との相関は、非言語的もしくは空間的な推論部分との相関よりも高い傾向にある。さらに、開放性と修学年数との間にも有意の相関が見られる。現代の豊かな西欧社会においては、修学年数が知的能力のかなり良い指標となっているのだ。最近行われたある研究によると、開放性は、前頭葉にある一連の認知回路の効率の個人差を反映しているということである。そうだとすれば、五番目のパーソナリティ要素は知能ときわめて近いことになる。この回路の効率はＩＱとも大きく関わっているからだ。

しかしながら開放性には、知能とはまったく異なるばかりか、完全に違った方向を指しているように見える、多くの相関や要素がある。それらの要素が何であるかを理解するには、開放性の心理学を貫く一筋の糸、すなわちある特徴を探る必要がある。だれもが完全に同意できるその特徴とは、開放性の高い人間の典型が詩人もしくは芸術家だということである。多くの研究が示しているように、開放性は、想像力と芸術性を追求する才能とその創作に、とくに関連しているのだ。

詩人とは、そして芸術家とは、果たしてどのような人々なのか。それを見るために、現実の詩人とその作品を採り上げてみたい。それには、アレン・ギンズバーグ〔1926〜97　アメリカのビート世代の詩人〕の長詩「吠える（*Howl*）」がぴったりと思われる。この詩は、彼と同世代のアメリカで芸術に傾倒した若者たちに捧げる挽歌である。ギンズバーグは彼らをこのように描く——

夜の機械仕掛けのなかで　星のダイナモへの太古の神聖なつながりに　焦がれて燃えている　天
使の頭をしたヒップスターたち

あるものは戦争学者たちにまじって　アーカンソーとブレイクの光の悲劇を幻視しつつ　晴れやかでクールな目をして　大学を通りぬけた
あるものはクレイジーなるがゆえに　また頭蓋骨の窓に猥褻な詩を発表したために　アカデミーから追放された
……
あるものは想像力のラムシチューを食らった　あるいはバワリー川の泥の水底でカニを消化した
……
あるものは　一晩中身をゆすり　転がりながら　高邁な呪句を走り書きした　それは黄色い朝の中でわけのわからないたわごとになっていた

これは詩人が他の詩人と作家たちについて書いた詩であり、その意味で、開放性について多くの洞察を語りかける。第一に目立つのは、もちろんほとんどすべての詩に言えることだが、その深く隠喩的《メタフォリカル》な内容である。この「吠える」では、想像《イマジネーション》力が作り出すのは「ラムシチュー」である。このように、ひとつの意味領域（心の状態とプロセス）からのアイテムは、まったく異なる領域（食べ物）からのアイテムと自由に交流し、きわだって異常な効果を作り出す。それはまるで、さまざまな認知領域をとりまくフィルターなり薄膜なりが普通よりも少し浸透しやすくできていて、そのために連想がより大きく広くなっているかのようである。

第二に、「吠える」に描かれた芸術家たちは、社会規範への挑戦――「クレイジーなるがゆえにアカデミーから追放された……」――という衝撃的な特徴をもつ。ギンズバーグの世代の反抗には特異な歴史的偶発事件が背景にあったけれども、芸術家が因習に刃向かう象徴であるのは、普遍的な現象である。ギンズバーグ自身、活動的なカウンターカルチャーの象徴であり、革新主義者として政治に関わり、また、性をめぐる時代の慣習と反目していた（一九五七年には、「吠える」の猥褻性をめぐって有名な裁判に発展した）。異常な社会観をもつというだけではなく、多くの芸術家はその社会観をめまぐるしく方向転換する点でも異常であるようだ。多くの詩人と同様、ギンズバーグもまたさまざまな職業、哲学、ライフスタイルを試し、自己表現の方法をたえず探求して、メディア、写真、音楽、映画などの多様な形式で自分を表現しようとした。第三者の目には、それぞれの時期はばらばらで関連がなく、断片的にさえ見えるかもしれない。だが詩人自身にとっては、すべてが疑いなく同じ旅の一部だったのである。

第三に、「吠える」全体を通して、強い霊的感覚――もしくは超自然的信念さえも――が存在する。詩人と作家は、「夜の機械仕掛けのなかで星のダイナモへの太古の神聖なつながりに焦がれて燃えている」と見なされる。「星のダイナモ」とは何だろうか。どう表現されようと、それは何らかの神秘的な力であり、通常に知覚しうる物理学と心理学の因果の論理を超えたところにあるものだ。では、芸術家が探し求める「太古のつながり」とは何か。思うにそれは、はるか太古より神秘主義者が求めつづけてきた、日常的経験のあの心理的超越なのだろう。この霊的探求は、ギンズバーグ自身の生き方にも明らかに見出される。彼は、霊的システムとして仏教を追求し、ついには正式に帰依した。

最後に、ギンズバーグの作品と人生全体に流れるのは、精神病という亡霊である。「吠える」には全編にわたって、幻覚、現実との接点の喪失、もしくは現実というものの脆さ、意味のつかめない神秘的な化身などへの言及があふれている。彼はこれを体験から書いている。母親のナオミは精神病を患っていた。彼女は幻聴を経験し、人々が自分を毒殺しようとしていると思いこんだ。ギンズバーグ自身、一時期精神病院で過ごしている(もっとも彼は精神病ではなく、自分から進んで入った)。事実、明らかに異常な経験が彼を襲っている。そうした発作のひとつが、「吠える」の中にも仄めかされている。ブレイクの詩集「無垢と経験の歌(*Songs of Innocence and Songs of Experience*)」をかたわらに置いてベッドに横になっていたとき、ブレイク自身が「ああ、ひまわりよ!(*Ah! Sun-flower!*)」の詩を朗読しているのを聞いた。それは「深い、太古の」声であった。ギンズバーグの伝記作家バリー・マイルズは、このときのエピソードを書いている――

とつぜん彼はその詩の意味を深く理解し、自分がひまわりだということに気がついた。この幻聴と同時に、高められた幻視が訪れた――窓からさしこむ午後の日ざしが、異常な清澄さをまとった……「とつぜん、体が軽く感じられた……これまでいた世界よりも完全に深い真の宇宙の中への不意の覚醒だった。」彼はさらに遠くを見つめ、雲のなかを見た――雲は、労働者の手よりも大きく、はるか遠くまでおよぶ何かの信号に見えた。海が蒸発し、雲を形づくってきた何十億年間を、とつぜん彼は理解した。どの雲も独特の形をしており、自然の広大な複雑性に満ちていた。「私は全太陽系のまっただなかに座っていた！……光と知能と交信と信号で満たされた詩として、私は全宇宙を把握した。頭が取り外され、そこから、脳と連結した宇宙のそれ以外の部分を入れているようだった。」

このエピソードに見られる多くの特徴は、統合失調症などの精神疾患を暗示している。最も明らかなのは幻聴だが、ほかにも特徴的なものに自己をめぐる境界の喪失や、日常の光景に特別な意味を感じたり、何らかの力によって脳に信号が伝えられ、あるいは埋め込まれるという考えに取り憑かれることなどがある。いずれも精神病患者にきわめてよく見られる症状である。この種の出来事は、ギンズバーグの人生だけに見られるものではない。多くの詩人や芸術家の伝記にも似たような経験が見出される。

このように、ギンズバーグの「吠える」のなかに、私たちは四つのテーマを見出すことができた。意味の連想の広がり、因習にとらわれない不断の行為、超自然的な信念、精神病に似た経験というこの四つは、詩人だけではなく、一般的にパーソナリティ次元としての開放性に特徴的である。そのうえこれらは、知能やＩＱとはまったく無関係なのだ。この四つのテーマが、開放性というもののきわめてユニークで興味深い中核《コア》であることを、このあと論じていくことにする。

まず最初に、四番目のテーマ――精神病に似た経験――を採り上げてみよう。この種の経験を開放性と結びつけるのには理由がある。第一に、詩人をはじめとして芸術家には精神障害の発生率がきわめて高い。この人たちは、開放性の高さではまさしく代表的存在なのだ。ほとんどの場合、彼らの症状は本格的な統合失調症ではない。はるかに一般的なのはうつであり、すでに述べたように、おおむねうつは開放性よりも神経質傾向と結びついている。それにしても、芸術家のなりやすいそうした軽度の疾患にしても精神病に似た特徴が含まれることがありうるし、ギンズバーグのケースのように、近親者に本格的な精神病が見られるのも珍しいことではない。臨床的統合失調症にかかると社会で生きるのが困難になるうえ、たいていの場合慢性的だから、完全な症状の出ている統合失調症患者で芸術家として抜きん出る人がほとんどいないというのは当然だろう。もっとも統合失調症の患者は、たとえ認められなくても詩を書いたり、絵を描いたりすることが非常に多い。生涯にわたってパーソナリティの効果を調べた長期的研究によると、若いときの開放性はのちになってクリエイティブな活動に結びつくばかりでなく、精神医学の世話になる可能性をも予測している。

　開放性と精神病傾向とを結びつける第二の理由は、統合失調型《スキゾタイプ》と呼ばれるものについての研究に由来する。この統合失調型という考えは、診断マニュアルが何と言おうと、人間集団は精神病者のグループとそうでないグループの二つにきちんと分けられるものではないという経験的な知識がもとになっている。健全な精神の持ち主と見なされている人でも、時おり幻聴を経験したり、世界について何らかの異常な信念をもったりすることがある。事実、多くの人が妄想や幻覚のような奇妙な経験をもちながらも、まったく「正常に」活動しているのだ。だとすれば、精神病的経験をもつ傾向をひとつの連続体と考えるのは役に立つかもしれない。統合失調症などの診断を受けた人は、明らかにこの連続体の最先端に位置する。他の人はみな、途中のどこかに当てはまるのだ。

統合失調型のスコアを出すには質問紙が使われる。これはパーソナリティ質問紙と非常によく似たものだ。違うのは、こちらの質問紙が統合失調症の典型的症状からなる長いリストをもとに構成されているということである。被験者はそこに記された症状のなかで、自分の経験と類似したものがあればそれをチェックする。この種の質問紙は妥当性のテストに合格している。統合失調症の患者はもちろん、今はそうでなくとも将来発症するような人までもが、平均より高いスコアを出すからである。ただ、一般の被験者集団では分布は連続体になっている。何人かの「正常な」人々がここできわめて高いスコアを出しているのだが、彼らには生活するうえでのはっきりした障害は見られない。これらの測定値を分析してわかるのは、統合失調型は単一の現象ではなく、いくつかの別個の症状グループがあるということだ。精神障害者の場合はすべての症状グループで高いスコアをとる傾向があるが、一般集団の場合は、あるグループで高くても、他のグループではそうでなかったりする。ここで私たちにとって最も興味深いのは、「異常体験」と名づけられた症状グループである。

異常体験の枠にはまる現象は、幻覚と疑似‐幻覚（幻聴、もしくは、自分が考えていることが声のように聞こえる)、知覚の乱れ(すべてが奇異に見える、あるいは奇異な意味をもつように見える)、神秘的な考え方(超自然的な力、頭を出入りするパワー、テレパシーの感覚)などである。このように異常体験は、統合失調症の症状のうち常軌を逸した考えや信念と関連しているが、情動の平板化、社会的引きこもり、モチベーションの欠如のような側面とは関係していない。

詩人や芸術家の場合、一般集団よりも異常体験の尺度のスコアが高い。事実、統合失調症患者と同じくらい高いのである。違っているのは、他の症状グループ——情動とモチベーション関連——である。本書のテーマと直接関係があるのは、この異常体験のスコアとビッグファイブの開放性のスコアが相関していることである(係数はおよそ0・4)。さらに統合失調型《スキゾタイパル》パーソナリティ障害と呼ばれる障害もある【「DSM IV-TR 精神疾患の分類と診断の手引」では、統合失調型パーソナリティ障害とスキゾイドパーソナリティ障害を区別している】。これはほとんどの点で統合失調症の軽い形と考えられる障害だが、いくつかの研究によれば(現時点ではすべての研究で見解が一致しているわけではない)、この患者は開放性パーソナリティ次元のスコアが異常に高いということである。

このように、開放性が精神病に似た異常体験と関連しているのは、明らかである。それでは、ギンズバーグの人生と詩から引き出される第二のテーマ——霊的で超自然的な信念への傾倒——についてはどうだろうか。開放性のスコアの高い人は、伝統的な意味では必ずしも宗教的ではない。ほぼすべての事柄で、彼らは伝統的ではないのだ。そのうえ彼らは政治的にリベラルで、正統的な組織や団体の内部では居心地がよくないといった傾向がある。だが彼らはしばしば世界の超自然的、あるいは霊的な活動に対して特異な強い信念をもっている。これが、具体的には異国の宗教や信条をはじめ、ニューエイジの実践の形をとったり、あるいは超常現象を信じるなどの実験へとつながるわけだ。開放性と、秘儀的もしくは超常的信念の尺度との相関係数は０・４７で、開放性と異常体験の間の相関係数とほぼ同じである。開放性のスコアの高い人はまた、催眠術に比較的かかりやすい。多くの秘儀的活動には催眠術に似たプロセスが組み込まれている。

ギンズバーグに関わる第三のテーマは、規範への反抗である。きわめて広く知られているように、芸術家は、同時代の社会的慣行と対立する信念を保持しており、あるいはそうした信念を躊躇することなく表明する。しかも彼らは他のグループほど、社会的受容というタブーに支配されていないようだ。果たしてこのような特徴は、全体としての開放性一般に当てはまるのだろうか。どうやらそのようである。開放性のスコアの高い人は、芸術や研究関係の仕事に強く惹かれ、それらを追求するためにしばしば、伝統的で画一的な組織ややり方を避けるようだ。とくにまた、彼らにはつぎつぎと職業を変える傾向があるように思われる。

ギンズバーグから派生した四番目のテーマは、意味の連想の広がり、もしくは隠喩による連想の表現である。これについてはのちにじっくり採り上げる。なぜならこのテーマこそ、まさに全体を統一する糸のように思われるからだ。だがその前に、解決しなくてはならない難問がある。すでに述べたように開放性には、相関するセットとして知能検査のスコアがある（相関係数はたいていの場合０・２である。）。そしてもうひとつ、別のやや異なる相関セット――異常体験、超常的信念、催眠暗示へのかかりやすさなど——もある（開放性との相関は約0・4）。それぞれの要素は（予想されるように）おたがいに他のすべてと相関する。だがこのセットは、知能検査スコアとは相関しない。相関しないどころではなく、それ以下なのだ。異常体験は知能検査スコアとネガティブに相関するのである。

何が起こっているのだろうか。もしパーソナリティ次元が均一で信用できる構成概念であるならば、それに有意に相関する事柄のすべては、これまたたがいに相関するはずである。第1章に見たように、すべてがたがいに相関する多様な特徴の集まりこそが、パーソナリティ特性なのである。したがって、開放性と相関関係にある二つの主要なセットがたがいに非相関というのは、理屈に合わない。

この謎について、開放性を研究している学者たちはだれも手をつけていないようだ。謎を解くには、二通りのアプローチが考えられる。第一のアプローチは、開放性というのは実はひとつのパーソナリティ次元ではなく、二つのパーソナリティ次元——鋭い才知と概念形成の冴えからなる特性がひとつと、詩と精神病に関わる境界のゆるい連想という特性がひとつ——が誤ってひとまとめにされたものだとする考え方である。この場合、パーソナリティ要素は五つではなく六つになる。ただ、私自身はこの考え方は好まない。鋭い才知と概念形成の冴えからなる特性は、すでに存在するのであり、しかもきわめて多くの研究の対象となってきた。それは知能と呼ばれるものである。知能は、ビッグファイブの他の要素と同じ意味ではパーソナリティ特性ではない。私がこう言い切るのには理由がある。なぜなら知能とは、すべての脳システムの全体的な処理効率のことだからである。知能の高い人たちは、言語的問題にも、非言語的問題にも、手仕事の器用さでも、そしてまた神経インパルスが軸索に沿って伝達される速度においてもすぐれている。これと対照的にビッグファイブは、すべての神経システムの全体的効率ではなく、むしろ、何らかの特定のメカニズム群の相対的活動に関わっている――それが外向性のための報酬メカニズムだろうと、神経質傾向のための脅威検知メカニズムだろうと、あるいは調和性のための共感メカニズムだろうと。

したがって、私の謎解きはこうなる。すなわち、開放性の「真性な」パーソナリティ特性とは、境界のゆるい連想／異常体験の特徴群であり、現在使われている質問紙計測は、知能も引き出してしまう質問項目を含むことによって「汚染」されているのである。たとえば開放性についての質問紙の多くは、「私は豊かな語彙をもっている」に類した項目を含んでいる。回答者がこれを語彙の量についての質問だととれば、答が示すものは、知能と、おそらく教育であろう。だがもし回答者が、その質問を言葉の豊かさを聞いているのだと受け取り、もっている語彙を変わった、あるいは印象的な使い方で駆使できるかどうかを答えるとすれば、その結果はまさに私の言う「真性の」開放性を反映するだろう。同じように、開放性尺度には「私は複雑な考えを把握できる」というような項目が含まれる。もし質問が、「私は核連鎖反応がどのように起こるか理解できる」ならば、答としてたたき出されるのは主として知能であろう（少なくとも自己申告による知能だが）。一方もし質問が、「私は深遠な理念を理解できる」だったら、答が反映するものはまったく違ってくる。

世の中には、問題-解決という点で恐るべき知性をもっているが、思索とか、まして神秘などといった非実際的な考えにはまったく関心のない人がいる。そうした人々は、知能は高いが、開放性は低いのである。

知能と「真性の」開放性とを区別するのは、別の理由からもまた有益である。開放性については、しばしば「創造性」を予測するという説明がなされているが、その場合の「創造性」の規範は、つねに芸術的創造である。これは控えめに言っても偏った見解である。もし創造性が、新奇で関心をひくもの、もしくは表現を作り出すことであれば、科学、工学、数学のイノベーションもまた、同じように呼ばれてよい。だが、科学やテクノロジーに新機軸を作り出す人々の心理は、芸術家のそれとはいくぶん違って見えるのも事実である。「創造的」グループに異常体験と精神疾患が高率に見られるという研究所見は、実のところ芸術分野に限られている。したがって芸術的創造性は、高い開放性とそれに必然的に付随するあらゆる要素によって駆り立てられ、一方、科学やテクノロジーの創造性は高い知能によって駆り立てられるという考え方には、たしかに気持ちを動かされる。だが、これは単純化しすぎているようだ。作家になるには知能が必要であり、科学の分野でパラダイムを変えるような貢献をするには、何らかの間接的な想像力の飛躍が必要なのである。したがって、つぎのように考えるほうが妥当かもしれない。偉大な貢献をするのに必要な開放性と知能のバランスは、活動の分野によって違う。つまり、詩と美術においては開放性が強調され、たとえば数学と工学においては「生《なま》の」知能が強調されるということではないだろうか。

ここで連想の広がりという問題に戻ることにしよう。前にも述べたように、これこそが「真性の」開放性の中核《コア》と考えられるからだ。近年になって、「拡散的思考」〔問題に対し型にはまらない多面的なアプローチをする創造的思考〕課題での成果と開放性の間には、有意の相関があることが知られてきた。この種の課題のひとつは、見たところ無関係な三つの名詞を結びつける言葉を見つけるというものだ——たとえばWIDOW（未亡人）‐BITE（噛む）‐MONKEY（サル）〔答はクモ（SPIDER）——black widow（クロゴケグモ）、spider monkey（クモザル）との関連で〕。もうひとつの課題は、いわゆる用途テストである。回答者は、日常使われている物についてできるだけ多くの用途を考え出さなくてはならない。伝統的な用途はすぐに考えついてしまうから、もっと普通でない用途を考え出す必要がある。たとえば眼鏡は、レンズを取り外してパラキート（小型インコ）の餌を入れて使うとか、煉瓦はお葬式ごっこのときにバービー人形の棺桶として使うなどである。開放性のスコアの高い人は、スコアの低い人にくらべて、より多くの用途を考え出すだけでなく、考え出す用途そのものも普通ではない。これはきわめて大きな意味をもつ。統合失調症の患者が健常者よりもすぐれた成果を出すテストはきわめて少ないのだが、拡散的思考課題はその数少ないテストのひとつだからだ。*

人がある対象について連想するとき、使える連想の幅がどれだけあるかを示すのが拡散的思考課

*拡散的思考課題は、一般的な知能とはかなり無関係である。知能検査では統合失調症患者は一般に軽い不利を示す。知能検査の課題の正答はつねにたった一つであり、（時には）その答を出すのはむずかしいかもしれない。だが、拡散的思考課題は、可能な回答を無限にもつ。

題であるが、その幅は開放性のスコアの高い人のほうがスコアの低い人よりも広くなっている。これはどういうことだろうか。対象、もしくはそれを表現する言葉を心の中で把握すると、それに関連した多くの概念もまた部分的に活性化される。たとえば、「サメ」という言葉を読んだあとでは、「海」や「魚」のような単語を読むのはずっと簡単になる（このことは反応時間によって実証されている）。これは活性化拡散と呼ばれる。さまざまな概念は、脳の内部で関連した意味を束ねるゆるやかなネットワークに貯えられており、そのネットワークのひとつの結び目が活性化されると、近接した部分にいくぶんかの活性化が拡散される。これはおそらく効率的であろう。何らかの状況下では、サメの属性から海の属性についての考えに移動する必要も出てくるからだ。ただ問題は、どのくらいその活性化が広がるべきなのかということである。サメという言葉は、「軟骨」を活性化させるべきだろうか――いくら海のギャングの骨格がそれでできているからといって……。それはまた「ライオン」を活性化させるべきだろうか――それぞれ海と陸の狩猟の王者だからといって……。もっと言うなら、サメが「スープ」を活性化するというのはどうだろう――そう、フカヒレとの連想で……。

この問題に対する正しい答はない。言えるのはただ、意味のネットワークのなかで活性化の広がる度合は、個人によって違いがあるらしいということだ。広がりの幅はまた、開放性の基盤をなす認知メカニズムによるのではないかとも考えられる。この点について直接の科学的裏づけはないが、異常体験タイプの統合失調型についてクリスティン・モーアの行った興味深い研究がある。前に述べたように、私の考えでは「真性の」開放性はこのタイプの構成概念にきわめて近いのである。

モーアの実験では、被験者は一対か三個の組み合わせからなる単語を見せられる。たとえば「蜂蜜-パン」もしくは「梯子-瓶-猫」のような組み合わせである。被験者はそれらの異なる単語について、どのくらい意味が近いかを評価した。それによると、意味の近さについての各人の平均的判断は、その人の統合失調型尺度のスコアに大きく予測されていた。統合失調型のスコアの高い人ほど、単語同士の意味を近いものとして評価したのである。このことはつぎのように解釈できるだろう。異常体験タイプのスコアの高い人にとっては、一つ一つの単語は関連した連想からなる広範な集団《ラフト》を活性化する。そのとき二番目の単語がそのラフトにあるか、あるいはそこにある単語に関連していれば、二つの単語は意味が近いと感じられるわけだ。逆にスコアの低い人の場合、連想のラフトはもっと狭いから、最初と二つ目の単語間の距離も広いと感じられるのである。

こう考えると、統合失調型だけでなく開放性パーソナリティにおいても何が起きているか、はっきり説明することができる。概念や知覚された対象がいずれも、広範な連想ラフトを活性化するのだとすれば、なぜ異常な信念が生まれるのかも理解できる。実際には「考え」であるものを聴覚と結びつけることによって、幻聴が生まれる。意味のない出来事が、そこにいない人物についての考えと結びつけば、テレパシー、もしくは超常現象という考えにたどりつく。要するに、開放性が低ければ完全に別個のものとして保たれているはずの異なる領域と処理の流れは、ここではついには相互に作用しあい、関連したものとして知覚されるのだ。幻覚、錯覚、超常的信念はいずれも、この連想の広がりが生み出した潜在的にネガティブな効果であるが、同時にそれらは、言語と視覚の分野での創造性にとって強力なエンジンとなる。詩の本質とはまさしく、異なる領域からの意味が結びついた言葉の印象的で隠喩的な使用である。同じことが非言語活動についても言える。ゆるやかな境界をもった連想は、伝統的な知能のように既成の前提から問題解決を見出すだけではなく、まったく新しいものの見方へと飛躍して、新しい果実を生み、あるいは他者の注目を集める。開放性のスコアの高い人が、美術や文学において複雑で複合的な意味をもった表現をおびただしく使い、異端的なステータスを選び、さまざまな追求に駆り立てられるのもここから説明できる。それゆえもし、開放性の心理学的基礎とは何かと問われれば、私はこう答えるだろう――賭けてもいい、それは（低い開放性の心においては別々に保持されている）さまざまな処理ネットワーク間の相互作用の拡大なのだと。*

相互作用のそのような拡大は、果たしてポジティブな特徴なのか、それともネガティブなものなのか。ここでもまた絶対的な答はない。自然淘汰は私たちに、特定のタイプの問題を解くのにすぐ

*連想の広がりとしての開放性――開放性もしくは異常体験における注意の役割について、ここで採り上げていない証拠がある。一組の刺激を無視して別の組を選ばせるという課題で、開放性スコアが高い被験者は、無視するように想定されている情報を抑制できない。このことは無視されるべき刺激への反応を探るそのあとの課題で実証される。これらの注意現象は、より一般的に、連想の拡大といくぶん関係しているに違いない。

れた専用情報処理機のついた心を与えてきた。ある回路は対象の動きを予測するのを助け、ある回路は食べ物の好ましさを査定する。配偶者としてふさわしい対象に関心を向けさせる回路もある。一般的なデザイン原則としては、それぞれの回路はおたがいに比較的独立して起動することが望ましい。複数の回路間の相互作用は、混乱と間違いを起こす可能性があるからだ。ごくたまに、ある領域に生まれる連想を異なる領域からの材料に使うことで、新奇で創造的な解決が導かれるかもしれない。たとえば植物を食べ物としてではなく道具として使うとか、キツネを狩りの獲物ではなく、狩りのパートナーと見なすような具合だ。だが、そのようなケースは比較的まれであろう。したがって、人類の太古の歴史においてほとんどの時期、自然淘汰は心の中の情報処理の流れが別個に働く方向に向かったと考えなくてはならない。

だが言語が発達すると、この状況はいくぶん変わってくる。言語以前、私たちの祖先は生まれながらに備わった知識に頼って独力でうまくやりこなし、あるいはまわりの人々を真似することができた。だが、いったん言語が発達すると、それまでのやり方に加えて特別の情報チャンネルが利用できるようになった。このチャンネルでは、情報は言語的手段によって（そして、おそらく時には絵などの表象的手段を使って）、個人から個人へと伝達される。いったん表象のルビコンを渡ったあとは、言語などの表現を巧みに使って人の関心を引けるということは、きわめて適応性の高い性質となる。言語をうまく使える人は、他者の関心を手にし、巧みなレトリックによって、自分の意見や考えを受け入れさせることができる。このようにして、彼らの言語能力はステータスのよりどころとして、肉体的な強さや有力な親族などの原始的なそれに代わるものになるかもしれない。さらにまた、ジェフリー・ミラーがその著『恋人選びの心—性淘汰と人間の進化』(長谷川真理子訳岩波書店)で論じているように、言語的創造性はまた、配偶者選択において強力な武器となる。表象を使う種では、個体は表象領域で競争力をもつ子孫を望み、そのためには表象的表現の巧みな配偶者を選ぶことになる。こうして人は、並外れて複雑な言語と表象の産物を通じて自らの脳の優良さを誇示する配偶者を選ぶのである。

ミラーが述べているように、言語の巧みさを配偶者選択の基準として用いることは、集団の全体的知能を押し上げる傾向をもっただろう。だが、それはまた開放性のレベルをも押し上げたはずだ。異なる思考領域間のクロストークが多ければ多いほど、より普通と違う、それゆえ人の注目を引く言葉の配置が生まれたことだろう。その結果——仮説に従うならば——は、より大きな社会的関心と、おそらくはより多くの交配の機会をもたらすことになる。自然淘汰の長い歴史は、脳のなかの異なる処理の流れを完全に別個に保つ方向に向けて働いてきたが、それに逆らって逆方向に働くのがこの種の社会的、性的淘汰だったのであろう。

この祖先伝来の社会的、性的淘汰によるディスプレイ・メカニズムは、現代の社会に何らかの痕跡を残しているのだろうか。答はイエスである。詩人、芸術家、作家など、豊穣で人目を引く表象の組み合わせを作り出す人々に対して、現代の私たちは非常に関心を寄せているではないか。芸術家たちは社会において、その限られた実用的価値とはややそぐわない重要性と特権とを与えられている。私はこれを、芸術をきわめて愛する者として言っているのだ。文学者であるジョン・ケイリーが最近出した本のなかで述べているように、文学研究という学問領域ができて数十年たった今でも――そして明らかに多くの人が芸術というものに深い関心を寄せているにもかかわらず――、私たちはいまだに芸術とは何なのかわからないでいる。私の考えでは、芸術とは何の目的ももたないものである（もっと正確に言えば、本来は何の目的ももたないものであるが、存在したその時から、まさにあらゆる種類の目的に使われうる）。要するに私たちは、自分をとりまく言語的、表象的表現に注意を払うように進化してきたのであり、芸術とは、その私たちの注意を引き、関心をとらえるのが最も巧みなもののひとつなのだ。したがって芸術家とは、連想の広がりゆえに、最も印象的で注意を引く表現を創り出せる人々と言うことができよう。

これはたんに、現代の西洋諸国だけの現象ではない。世界中に広がる小規模の文化には、儀式、歌、シャーマニズム、あるいは他の種類の世界についての特別な、普通の直観とは異なる表現が見られる。興味深いことに、これらの表現にはきわめてしばしば、テレパシーや共感呪術もしくは幻聴のような精神疾患に似た現象が見られる。こうした小規模の文化における良きシャーマンなどの呪術師について、その開放性を評価したならば、私たちの社会における詩人や芸術家と同じように、確実に高いスコアが出ることだろう。

前に述べたように、ジェフリー・ミラーによると、芸術的創造性は配偶者選択の基準として働く。もしそうなら、当然これらの領域で創造的な人間は交配相手を惹きつけるのにきわめて有利なはずである。この予想を探るため、ヘレン・クレッグと私は425人のイギリス人の成人に質問紙に書き入れてもらった。そのうちの何人かは、プロとして成功している（その度合はまちまちだが）詩人もしくは視覚芸術家である。もちろん相手を惹きつけるかどうかというのは評価のむずかしい変数だ。相手が何人かという問題よりも、相手がだれかという問題のほうが重要だからである。女性の場合はとくにそれが言える。そうではあっても、私たちが数量化できる変数は交配相手の数だけであったし、男性、とくに短期の配偶戦略に関心のある男性にとっては、それなりに情報を提供する尺度ではあろう。

調査の結果、プロの画家や詩人は、趣味で活動している人や、あるいはまったく絵や詩の創作に携わらない人よりも、一生のうちに関わる性的パートナーが明らかに多かった。ただしこの研究には問題が多い。とくにプロの芸術家と他の被験者の間には、創作とは本質的に関係のないライフスタイルの違いが多く見られるからだ。それにしても、この調査結果に他のいくつかの科学的裏づけを考え合わせれば、芸術的創造性が性的に魅力的な資質と見なされていることは明らかである。

人類が表象の領域でステータスと配偶のために競争しなくてはならなくなると、自然淘汰は連想の広がりに有利に働いたことだろう。だが、そのような変化はコストを伴った。ひとつには、脳の内部でもともと別個であった処理の流れが前よりも相互交流し始めると、一つ一つの流れについては、本来の専門分野である狭い仕事の効率が落ちてくる。異常体験と知能の間に弱いネガティブな相関があるのは、おそらくそのためであろう。また、開放性の高い人が自分の性格を「気が散りやすい」と評価するのも、これによって説明できるだろう。開放性のスコアが低い人は高い人よりも、実際的な問題や現実的な問題――きわめてむずかしい問題であっても――を解くのがたぶん上手なはずだ。電球を取り替えるのに何人くらい詩人が必要かって……。このジョークに深入りするのはやめておこう。

冗談はさておき、開放性が増すにつれて、ますます多くの離れた領域が連想によって結びつけられ、ますます奇怪な信念がもたらされることになりそうだ。芸術的な人間と神秘主義的な人間との間には共有の境界線がある――神秘主義から超常現象まではほんのひとまたぎであり、そして超常現象から妄想的世界観まではなだらかな登りなのだ。風変わり《エキセントリック》で型破り《イディオシンクラシー》な傾向は統合失調型パーソナリティ障害に溶け込み、今度はそれが統合失調症に溶け込んでいく。したがって、もし開放性の増加が芸術家としての名声の可能性を増すのに有利だとすれば、同時にそれは精神疾患に似た障害になりやすいというコストも伴うのである。

果たして開放性の連続体上には、利益とコストが理想的なバランスをとる一点があったのだろうか――極端なリスクを伴うことなく、何らかのカリスマ性を生み出せるだけの高さをもったレベルが。もしそうであれば、自然淘汰はこの一点に向かって有利に働いて、人間集団は最終的に均一の開放性レベルで安定したことだろう……。だが、現実にはこのようなことが起きていないのは明らかである。他の四つの因子と同様、開放性にもまた遺伝による個人差があるからだ。なぜそうなるのか。

第一に、開放性と芸術的表現が社会的、性的成功に果たす役割は、局地的社会状況によってきわめて大きく変わるにちがいない。たとえば、ある生態学的状況では生存こそが絶対的原則となる。そこでは人々は、家族がこれからの二冬を生き抜くのを助けてくれそうな実際的で有能なタイプに引きつけられるだろう。そのような状況では、開放性には何のプレミアムもない。逆に、次の二冬を生き抜くのに何の心配もない状況ならば、想像力に富む霊感的な資質がもてはやされるかもしれない。よく知られているように、人類の歴史を通じて特定の時期、特定の社会に、芸術活動の偉大な開花が見られる。考えられるのはまさにその時期に、局地的環境が変化し、配偶とステータスの決定基準がより芸術的な方向へと移動したということである。その結果、人々は芸術領域において創作し、競争するためのより強いインセンティブを与えられたのであろう。こうした開花期の間、自然淘汰は開放性に向かうかもしれないが、他の時期はそれに不利に働いているのだ。

開放性と繁殖の成功との関係には、他にもうひとつ、込み入った要素がある。芸術的名声は繁殖に有利に働くけれども、妄想状態という疵《スティグマ》をもつのは明らかに不利である。したがって自然淘汰による高い開放性の結果が、これら二つのなりゆきのうちどちらになるかは、きわめて偶発的である。実際、似たようなパーソナリティをもった二人の人間のうち、片方が統合失調型パーソナリティ障害を発症し、片方が有名な芸術家になるとき、その分かれ目を決定するのは何なのか、本当にはわかっていない。他の心理的資質、全般的な健康状態、社会的サポート、そして機会のすべてが各々の役割を果たすことで、ビー玉が丘のどちら側へ転がり落ちるのかが決まるのだろう。最初のコースでの小さなつまづきが、最後に行き着く所に大きな違いをもたらすのかもしれない。重要なのはただ、高い開放性による適応度の結果には、個人によって大きな差があるということである。

このように開放性の影響は、時期により、また個人によって同じではない。そのことは、私たちがけっして同じようには考えないという結果を生み出す。たとえば、ある人々はつねに他の人から見ると、奇怪で、非現実的で、あるいは何ら実際の役に立たないような事柄を信じる。芸術家は、社会が芸術を高く評価しないと見なし、彼らだけで寄り集まるけれども、じつは社会は芸術をすこぶる高く評価している。だがその一方で、芸術作品を理解しがたいもの、実際的な価値をもたないものとして、まったく評価しない人たちもまた大勢いるのも確かである。どちらが正しいということはありえない。すべては、私たちが全員違ったパーソナリティをもっていることからきているのである。

ここまでで、ビッグファイブの五つのパーソナリティ次元について、おおよその説明は終わったことになる。どの特性にも何らかの脳のメカニズム群に基づく識別可能な中核《コア》があった。そしてどの次元においても、だんだん高くなっていくスコアには、利益とともにコストがあると考えていいだろう［表4］。これらのコストと利益は、それぞれの次元の進化の歴史を作り上げてきた。だが同時にそれは、現代の人間が人生を切り抜けていくうえで直面することになる利益であり、コストなのだ。この問題については最終章で触れるが、その前に別の問題が待ち構えている。本書を通じ

次元	コアメカニズム	利益	コスト
外向性 Extraversion	報酬への反応（中脳ドーパミン報酬システム）	報酬を求め手に入れることの増強	肉体的な危険、家族の安定欠如
神経質傾向 Neuroticism	脅威への反応（扁桃および大脳辺縁系、セロトニン）	警戒、努力	不安、うつ
誠実性 Conscientiousness	反応抑制（背外側前頭前皮質）	プランニング、自己抑制	融通のなさ、自発的反応の欠如
調和性 Agreeableness	他者への配慮（心の理論、共感要素）	調和的社会関係	ステータスを失う
開放性 Openness	心の連想の広がり	芸術的感受性、拡散的思考	異常な信念、精神病傾向

表4　ビッグファイブ要約

て私が強調してきたのは、人のパーソナリティを決定する際の遺伝的変異の役割であった。なぜならビッグファイブのどの次元にも遺伝的要素が存在するからである。だが、遺伝性の構成要素をもつからといって、遺伝だけが重要だということにはならない。重要な非遺伝的影響もまた存在する。次章ではその問題に立ち向かうとしよう。

8　あとの半分——遺伝によるのではない個体差

「人の性格は子供の頃にできあがってしまう」

どうしてそんなことが?

——ジェラルド・マンリー・ホプキンス

繰り返し述べてきたように、自然淘汰は人間集団において、パーソナリティ特性に関わる一連の遺伝子変異体を維持してきた。なぜならこれらの特性には、「時と場所を問わずに最適な」レベルというものがないからである。したがって人のパーソナリティの大部分は、たまたまその人がこれらの変異体のどれをもっているかによって決められる。行動遺伝学のすぐれた研究成果はこの考えを裏づけており、パーソナリティ特性に遺伝性の構成要素があることを一貫して示している。だが話はそこで終わらない。行動遺伝学者によれば、パーソナリティにおける遺伝的構成要素のサイズは、全体のおおよそ50パーセントだという。言い換えると、ビッグファイブのようなパーソナリティ特性に見られる個人差のほぼ半分は、遺伝子型《ゲノタイプ》の変異に結びついているというわけだ。残りの半分はむろん、遺伝子型とは無関係ということになる。パーソナリティ特性には、両親から受け継いだ遺伝子型とは関係のない、もうひとつの重要な個体間の違いがあるわけだ。*

本章では、その個体差の残りの半分、つまり非遺伝的部分について考えていく。遺伝とは無関係の重要なパーソナリティの違いと聞けば、おそらく読者は、これまで考えたり読んだりしたありとあらゆる（遺伝によらない）パーソナリティ形成要因の候補を思い浮かべることだろう——子供時代の経験、病気、親の育て方、家族構成、学校生活、そして友人たち等々。だが残念なことに、環境がどのように人のパーソナリティに影響を与えるかについて心理学者が知っていることは、一般に考えられているよりもはるかに少ないのだ。よく世間では、環境的影響に関してはすでに何十年も前からわかっており、近年になってようやく遺伝的影響もあることがわかったかのように言われ

＊遺伝と結びついておらず、また、人為的な原因をもたないパーソナリティ変異の量は、実際には50パーセントより小さいかもしれない。さまざまなパーソナリティ検査の試験／再試験信頼度は1よりも小さい。このことが意味するのは、何らかの日々の変動があるということであり、それゆえ、まったく同じパーソナリティをもった二人の一卵性双生児であっても、同じテストで異なったスコアになるかもしれないということだ。こうした計測の定まらなさに結びつく変異は、環境的影響としてまとめられる傾向があり、したがってそれがコントロールされると環境的影響の評価は低くなる。そのうえ、自己報告によるパーソナリティの計測はおそらく、状況間での行動の一貫性を過大評価するだろう。自己評定のかわりに客観的計測を使うと、状況間での行動の一貫性を説明できるのは遺伝的要因であるように思われる。このように、すべての状況にまたがって一貫した行動的特徴を決定するのは、主として遺伝的要素であり、また、状況特異的な行動の構成要素を決定するのは、主として非共有環境（つまり、私たちの学習履歴）であるのだろう。これは興味をそそる可能性であるが、本章ではより伝統的な立場に従って、広汎なパーソナリティ特性における非共有環境という構成要素には、まだ解明されていない部分がかなりあるとしている。

ている。だがこれはまったく事実とは異なる。最近まで、心理学のなかでパーソナリティへの環境的影響を扱う分野は、科学的裏づけを欠いた、あるいは未熟なリサーチに基づく理論であふれていた。皮肉にも、この分野に最大の進展をもたらしたのは行動遺伝学だった。皮肉というのは、この学問が人間の行動に対する「遺伝」の影響を発見するために作られたものだからである。だが、そこで用いられる方法は、パーソナリティへの非遺伝的影響をもまたくっきりと際だたせ、多くのことを私たちに教えてくれる。このあと、彼らによって発見されたことをいくつか見ていくことにする。

いま述べたように、環境がどのようにパーソナリティに影響するかという問題は、いまだに十分に解決されたとは言いがたい。ここで私たちができるのも、考えられる影響要因をいくつか採り上げて、その履歴を調べることだけだ。最有力候補は突き止められないかもしれないが、とりあえずすべての候補について、つぎの三つの重要な条件に合っているかを調べ、ひとつでもパスしなかった候補は度外視することにする。第一の条件は、たとえ世間で一般に認められている影響要因でも、行動遺伝学が示す証拠と矛盾してはならないということだ。第二に、それを影響要因であるとするための証拠は、因果関係が逆さまであってはならない。つまり、パーソナリティが環境に違いをもたらすのではなく、環境がパーソナリティに違いをもたらすということだ。第三に、その影響はなんらかの進化上の妥当性をもたなければならない。進化の妥当性ということの制約については、のちに詳しく説明する。

ではまず、行動遺伝学について少し詳しく見てみよう。行動遺伝学的方法は、多くのペアから何らかの数値（パーソナリティ特性など）を計測することが基本になっている。対象とされるペアの選択によって、さまざまな遺伝的ならびに環境による影響の評価が可能となる。古典的デザインは、一卵性双生児と二卵性双生児との比較である。前者は遺伝的に同一であるが、後者は遺伝子変異体の半分しか共有していない。両者とも同じ家族環境をもつ（一卵性、二卵性の双子はそれぞれ同じ両親をもち、同じ時期に同じ家庭で成長する）。したがって一卵性の双子同士と二卵性の双子同士の相関の差は、よけいに共有している遺伝的形質によるものと考えられる。事実、双子のパーソナリティを見たとき、一卵性双生児は二卵性双生児同士よりもはるかに似ている。これがひとつの基盤となって、遺伝的影響が50パーセントという統計値が引き出される。

もしこれだけが行動遺伝学の利用できる唯一の理論的パラダイムなのだとしたら、そんな根拠は簡単に反論されてしまうだろう。一卵性双生児のきょうだいは、二卵性双生児の場合より、同じように扱われる可能性が高いからである。だが、他にもいくつかの方法による研究がこの結果を裏づけている。ひとつは双生児が幼い頃に養子に出され、違った家庭で育てられるというケースを対象にしたものだ。別々に育てられた一卵性の双子は一緒に育てられた一卵性双生児と同じように、パーソナリティがたがいに似ている。また、別々に育てられた二卵性双生児は、別々に育てられた一卵性双生児同士よりも似通い方が少ない。別の家族に引き取られた非双生児同士の場合は、たがいにめったに会うこともなく、あるいは一度も会ったことがないにもかかわらず、その生物学的きょうだいにパーソナリティが似ている。その一方で、彼らと一緒に育った義理のきょうだいとのパーソナリティの似通い方は、ランダムに選んだ第三者にくらべて少しも大きくはない。ここでの相関は実質的にゼロである。

これらはいずれも、パーソナリティの遺伝性にとって説得力のある証拠である。ただし遺伝だけが唯一の影響ではないのは明らかだ。もしそうなら、遺伝子クローンである一卵性双生児は、まったく同じパーソナリティをもっているはずである。だが、実際には彼らのパーソナリティ特性の相関——むろんきわめて大きい——は完全と言うにはほど遠く、ここに行動遺伝学は非遺伝的諸要素の役割を見るのである。だが同時に行動遺伝学は、働いている非遺伝的諸要素の「タイプ」について、いくつかの手がかりを与えてくれる。これらの手がかりを見るために、彼らの方法についてもう少し詳しく考えてみよう。

一組のきょうだいを採り上げて、彼らへの影響要因を、三つ——二つではなく——のタイプに分ける。第一は遺伝的影響で、ともに両親から受け継いだ遺伝子変異体だ。第二は共有する家族環境である。このきょうだいはともに生活共同体《コミューン》で育った。母親はプロのロデオ乗りだったのである。三番目は非共有環境と呼ばれるもので、一人のきょうだいには起こり、もう一人には起こらない事柄である。一人は二歳のときにはしかにかかって死にかけたが、もう一人はかからなかった。一人は通りがかりの仏教の僧侶に影響を受けたが、もう一人はその日はたまたま他の場所に行って留守だった。

一緒に育てられる一卵性双生児は、100パーセントの遺伝的影響を分かちもち、共有環境による影響のすべてを受け取る。もちろん、非共有環境の影響は何ひとつ分かちもつことはない。別々に育てられた一卵性双生児は100パーセントの遺伝形質を分かちもつが、共有環境は何ひとつ（胎内での九カ月を除いて）もたず、さらに当然ながら非共有環境はまったくない。そうなると、別々に育てられた一卵性双生児のパーソナリティの似通い方と、一緒に育てられた一卵性双生児のパーソナリティの似通い方の差は、誕生後の共有環境による影響の直接の評価値となる。研究では、その影響のサイズはゼロと出た。養子に出された子供についても同じことができる。養い親のもとで育った子供は、生物学的きょうだいとの間では遺伝的影響の50パーセントを分かちもつが、共有環境の影響は何ひとつもたない。一方、養子家庭のきょうだいとの間では、遺伝的影響はまったく分かちもたないが、共有環境の影響は100パーセント同じである。ここから共有環境の影響が直接に評価できるわけだが、ここでもまた、結果はゼロであった。おそらく最も直接的で説得力のある証拠は、同じ家庭で育った義理のきょうだい同士のパーソナリティ特性の似通い方が、同じ集団からランダムに二人選び出したときのそれとくらべてまったく変わらないということだろう。

これが事実だとすると、導き出される結論はややもすれば心を乱すものとなる――親のパーソナリティは子供のパーソナリティに何ら重要な影響をもちえない（もちろん遺伝子経由は別として）。子育てスタイル（どの子に対しても同じであるかぎり）は、子供のパーソナリティに何ら重要な影響をもちえない。親の摂食、喫煙、家族数、教育、人生哲学、性についての態度、結婚生活の状況、離婚、もしくは再婚は、子供のパーソナリティには何ら重要な影響をもちえない。もしこのうちのどれかが一貫した影響をもつとすれば、同じ家族で育った血のつながらない子供同士は、ランダムに選ばれたペアよりもパーソナリティが似ているはずである。だが実際にはそうはならないのだ。これを信じられないと思う場合にそなえて、「但し書き」が二つ用意されている。第一に、親の行動と家族の状況は、家族という基盤《マトリックス》の内部では、明らかに子供のパーソナリティに影響をもつ。それらの影響は、ひょっとしたら一生続くものかもしれない。いかに両親が家族を仕切るか——これは当然ながら、その家庭のメンバー同士の関係と行動を形づくるだろう。問題はそれが、その子供たちが家庭の外で世界と取り組むときの大人のパーソナリティにまでは及ばないということなのだ。第二に、この結論を出した研究が対象とするのは、おそらくかなりきちんと機能している家庭だろうということだ。極度に暴力的な、あるいは虐待された子供時代の経験は、その子供のパーソナリティに永続的な効果を残すかもしれない。したがって、これらの研究が本当に示しているのは、通常の家族の範囲内において、共有された家族の要素が大人のパーソナリティに何の影響ももたないということなのである。

これはきわめてショッキングな発見であり、事実、かなりの物議を醸してきた。とくにそれが私たちの直観に反しており、世に確立している考えの多くをひっくり返すという意味で、この数十年間で最も重要な心理学的発見であったと言える。冷たい母親や家にいない父親、大家族、託児所に預けられる、などといった事柄がパーソナリティを形成するという単純な思いこみはすべて手放さなくてはならない。もしこうした家族的要素のいずれかがパーソナリティ形成に影響していたのならば、共有環境の影響はゼロではなくなるはずである。だがそれにしても、ときおり報告されるさまざまなリサーチの所見はどうなのだろう。離婚した親の子供たちは離婚する傾向が多いとか、母親がうつだと子供もうつになりやすいとか、子供のときに暴力を受けた人は大人になって暴力的になりやすいとか……。実は、こういったリサーチが見出すのは遺伝的性質なのである。神経質傾向の高い人はうつになりやすく、離婚しやすい。そして彼らの子供たちもまた、平均にくらべてそういうことをする傾向が強い。だがそれは、彼らが子供のころにその行動を学習したからではない。子供たちは、そもそも両親がそんなふうになった原因の遺伝的変異を受け継ぐ可能性が大きいのである。両親と子供の近似性も、また子育ての行動とその子供の成長後の行動の近似性も、そのほとんどはこのように説明することができる。

さきに私は、家庭環境がパーソナリティに及ぼす影響についての単純な思いこみは捨てなければならないと述べた。このとき私は言葉を注意深く選んだつもりである。もし何らかの影響をもつとしたら、それらははるかに微妙で変化に富んだものでなくてはならない。もっとはっきり言えば、共有される家族要素――もし何らかの違いを生むとしたら――は、一人一人の子供に違った影響を及ぼすにちがいない。両親の離婚への反応にしても、ある子供は家庭の外できわめて社交的になるかもしれないし、別の子供は引きこもって内向的になるかもしれない。このタイプの影響は、「人-環境相互作用」として知られる。これによって、同じ事件がさまざまな人々に反対の効果をもたらすことにもなりかねない。

「人‐環境相互作用」はたしかに考えられうる。だがここで注意しなければならないのは、共有された出来事に対して個々の人間がどのように反応するかを決めるのは何かということだ。それは個人のもつ遺伝子型であるかもしれない。セロトニン・トランスポーター遺伝子の短いタイプを二つもった子供は、子供時代のネガティブな人生の出来事に劇的に反応するかもしれず、それがパーソナリティの発達のうえで連鎖反応をもつこともありうる。一方、遺伝子の長いタイプをもったきょうだいのほうはすみやかに立ち直り、その経験から自信を得ていく。この場合、「人‐環境相互作用」は実際には一種の間接的な遺伝子効果である。隠れている遺伝子の違いを、環境が明るみに出すのだ。そのうえ、この「遺伝子‐共有環境相互作用」は、一緒に育てられた一卵性双生児が違ったパーソナリティをもつことになる理由を説明できない。彼らは同じ遺伝子型と、それに加えて同じ共有環境をもっているのだから。

　これとは別に、共有された出来事への個人の反応が、何らかの非遺伝的媒介要因《パラメータ》によって決定されるという考え方がある。最もはっきりしているのは年齢である。両親のトラブルが子供に与える影響は、二歳児と、その七歳の兄とではきわめて違ってくるかもしれない。だが一卵性双生児はここでも問題になってくる。同じ家族内で育てられた双子は、違う家族で育てられた双子よりも似ているわけではない。一緒に生活しているならば、当然ながら、すべての共有環境での出来事をまったく同じ年齢で経験する。このことは、重要な「年齢‐共有環境相互作用」の存在を斥けるように思われる。事実、行動遺伝学のデータを説明できる「人-共有環境相互作用」がもしあるとしたら、それを媒介する要因は非遺伝的であるとともに、一緒に暮らす一卵性双生児の間に明らかに違いをもたらすものでなくてはならない。このことから言えるように、全体的に家族の要素がパーソナリティに何らかの影響をもつことはありうるとしても、その可能性をとらえるのはかなりむずかしいのだ。家族環境がある効果をもつのは事実かもしれない。だが、その効果は人によって違う――その子供にもとからあるパーソナリティもしくは年齢でもなく、別の何らかの特異な要因によって。したがって効果は平均してゼロである。つまり、ありうるかもしれないが実際にはゼロと見分けがたいということだ。すべてが偶然の成り行きだと言っても構わないだろう。

パーソナリティに対する環境的要素の候補がくぐり抜けなければならない最初の関門は、行動遺伝学的な所見と矛盾しないことであった。このテストで、すでにいくつかの候補がはずされた。第二のテストは、その要素がパーソナリティの違いの結果でなく、原因でなくてはならないということである。あくまでも因果関係は逆でなく、正しくなくてはならない。この関門ではずされてしまう主な要因候補は、子供たちへの親の扱い方の違いである。たしかに親は一人一人の子供たちに違った接し方をする。そのことは親自身も認めており、子供たちの報告からも、また第三者による査定からも認められている。果たして親の扱い方の違いは、子供のパーソナリティを形成することがあるのだろうか。たしかにそれはありえる。ただ問題は、逆もまた真だということなのだ。親は子供たちに違った扱いをすることがある――それは子供たちがそれぞれ違ったパーソナリティをもっているからなのである。多変量遺伝子解析というテクニックを使って、家族のデータからこの可能性を調べることができる。そこからわかるのは、子供に対する親の扱い方の違いは、その子供のパーソナリティを説明するというよりもむしろ、子供の遺伝子型から説明できるということなのだ。

パーソナリティへの環境的影響として一般に信じられているものへの三番目のテストは、進化の妥当性である。このテストについては、いくらか説明が必要であろう。ややもすれば私たちは育ち＝環境（nurture）と学習（learning）の役割を区別しない傾向がある。私たちの性格には環境の影響を受けやすい部分があって、そこにどんな環境も同じようにやすやすと好きなことを書き入れることができ、また、どんなありふれた環境的出来事も結果を生んできたかのように考えるのだ。親の離婚は必然的に子供の離婚傾向を高めるとか、あるいはこれと似たような親と子の行動モデリング理論を主張するとき、私たちの頭にはつねにこの種の前提がある。実際に環境がどのように行動に影響を与えるのか、とくにそこでの進化のメカニズムの役割について、私たちはもっと深く考える必要がある。

たとえば、ダフニア（ミジンコ）の集団を考えてみよう。ある種のダフニアには、頭と背に突起があるものとないものがある。突起の有無は遺伝ではなく、完全に環境要因によるものだ。突起があれば、まわりに捕食者がいる場合は保護の役目を果たす。ただし、突起を生やすにはコストがかさむ。したがって突起のある個体は成熟に時間がかかり、捕食者がいないところでは生き残りに不利となる。一連のすぐれた実験によって明らかにされたように、ダフニアを捕食者のいる環境で孵化させると、突起が生えてくる。これは完全に進化の道理にかなっている。突起をもつのは、捕食者がいるところでは有利な形態であり、捕食者がいないところでは不利な形態である。それゆえ突起の有無の決定は、自然淘汰というよりはむしろ環境にゆだねられるのである。だが、それは環境のどの局面であろうか。

実は突起を誘導するには、捕食者の存在さえ必要としないことがわかっている。必要なのは、捕食者を入れておいた水だけでよい。捕食者はカイロモンと呼ばれる化学物質を放出し、ダフニアはこれらを検知して、自分の成長パターン（突起の有無）を決定するキューとして使えるからだ。彼らは異なる捕食種を区別することさえできる。捕食者の大きさに応じて、突起も大きく生長させるのだ。このように、ダフニアが環境に影響されているのは事実だが、はじめて出会うどんな相手にも、同じように突起を発生させるわけではない。さらにまた、水温や光をはじめ、もろもろの環境的要因は突起の有無に何の影響ももたない。効果をもつのは、ただ特定のカイロモンのキューだけである。それができるのは、ダフニアの遺伝子に進化したメカニズムが明記されているからなのだ――「もし環境的キューXが存在すれば、より多くのYをもった形態を発達させよ。」このようなメカニズムが進化しうるのは、Xが統計的にきわめてすぐれたキュー（Yが有利であるということの）であるときだけである。言い換えれば、Xとは、その個体が生きるうえでYが役に立つことを確実に予測するものでなくてはならない。

したがって環境的影響について考えるとき、つぎのことを忘れてはならない。つまり、成体形が環境に影響されるのは、特定のキューを特定の結果へと導く進化したメカニズムがあるときだけであり、進化したメカニズムが存在するのは、その形態が有利であることが、キューによって確実に予測される場合だけである。本書のなかで一貫して述べてきたのは、パーソナリティ特性のいくらかのレベルは、環境によって有利にも不利にもなるということである。したがってもし自然淘汰によって、パーソナリティの領域でもダフニアと似た環境による調整メカニズムが作られるなら、大きな利益があるだろう。「おまえが生きることになる環境がこのようなものに見えたならば、それを多めに、あるいは少なめにもったパーソナリティを発達させよ」という形で——。しかしながら、もしそのようなメカニズムが存在するとしたら、そのキューは、その人間が大人になったときに生活することになる環境的ニッチを現実に予測するものでなくてはならない。

この関門でさらにいくつかの候補がはずされる。たとえば愛着理論の専門家は、母-幼児の絆が一種の関係ひな形を形成し、子供は成長したあともそれを重要な対人関係に当てはめると考える。適応という点で、この考えはどれほど意味があるだろうか。あなたが母親に対してもつ愛着の質は、あなたと母親との関係にとってすこぶる大きな意味をもつ。むろん母子の関係がきわめて重要であることは言うを俟《ま》たない。だがひとつの関係の内部でもたらされた相互作用のタイプが、一生を通してあなたが出会うすべての相互作用を予測するようなことはありえない。あなたの母親はエキセントリックかもしれない。病気かもしれない。あなた以外の人に深い思い入れがあるかもしれない。そんな特異な事柄を基準にしてあなたの全パーソナリティを調整するのは、進化の面からもほとんど意味がない。愛着についてのさまざまな研究が、これを裏づけている。母親がうつの子供たちは、母親との関係では異常に沈んだ状態を見せる。だが幼稚園の先生と一緒にいるときには、その状態は消えて、普通に行動する。当然のことだ。彼らが母親との相互作用から学習することは、母親がどうであるかであって、世界がどうであるかではないのだから。

パーソナリティへの環境要因となりそうな候補にとって、突破すべきテストは以上である。無事突破した候補にはどんなものがあるのか。そしてそれらはどのように働くのか。このあと、そのうちのいくつかについて述べるとしよう。最初はそれほど重要でないと思われるものから始めて、明らかに重要と思われるものへと考察を進めていく。

第一の候補は生まれ順である。生まれ順による家族内の位置が本人のその後に大きな影響をもつということは、従来繰り返し言われてきた。これについては、肯定的な調査結果もいくつかあるものの、無関係であることを証明するものはおびただしい数にのぼる。この分野で権威のある二人の研究者が行った最大規模の調査でも何も見出すことができず、おそらく生まれ順はパーソナリティに対して何ら実際的な影響をもたないという結論に達している。それでも、生まれ順がパーソナリティに影響するという考えには根強いものがある。最近言われていることは、第一子は誠実性が高く、調和性が低いが、あとから生まれた子供はとりわけ反抗的で、経験に対して開放的だというものである。調査によってはこれらの違いをいくらか裏づける証拠が見出されたが、別の調査では裏づけは得られなかった。証拠を見出した研究と見出せなかった研究のどこが違っていたのか、探る必要がありそうだ。

おおむね人が自分ときょうだいのパーソナリティを評価するとき、年上のきょうだいは自分より少々まじめだと見なし、年下のきょうだいは自分よりも反抗的で遊び好きだと見なすものだ。だが「まじめ」というのは「成熟した」という表現とやや似ており、「反抗的で遊び好き」というのはどちらかといえば「子供っぽい」に類似している。私たちが年上のきょうだいのパーソナリティについてふりかえるときはいつも、「自分より先に生まれた存在」として彼らを思い出している——一緒に過ごした子供時代、つねに自分より年上だった相手として。そしてまた、年下のきょうだいと言われて私たちが思い出すのは、一緒に暮らしていた間じゅうずっと、自分より若かった相手なのだ。したがって、評価者が年下のきょうだいを反抗的だと見たり、年上のきょうだいをまじめだと見なすのは、あたりまえすぎる結果なのである。その評価が意味あるものとなるには、相手のきょうだい本人による自己評定や、家族以外の第三者による評価によって、第一子の誠実性や、末っ子の開放性の大きさが確認されなくてはならない。だが、この種の無関係の評価者を使って調査をした場合、おおむね影響は見出されない。どうやら意味がありそうな影響は唯一、第一子の調和性がいささか低いということだが、これさえもきわめてわずかである。

このように、生まれ順がパーソナリティ形成に及ぼす重要性については、真に説得力のある科学的裏づけはない。生まれ順効果を進化論的に論じようとする試みもいくつかなされてはいる。年下のきょうだいは年上のきょうだいと資源をめぐって競争するため、自分自身を差別化しなくてはならないというのである。生まれ順が家族内部での相互作用を予測するという意味では、この考えはいくぶんうなづけるものの、全体としてのパーソナリティの調整という点から見ると、何ら実際の意味をなさない。たしかに子供は、家族のなかで関心と資源を手に入れるためには、きょうだいと親への一定の行動パターンがおおいに役立つということを学習するかもしれない。このように生まれ順が家族内力学に影響するというのは、たしかである。だがパーソナリティ特性とは、一生を通じて安定した反応の仕方であって、それこそ親もきょうだいもいない状況が大部分を占める大人の生活のすべてにわたり、あらゆる状況に及ぶものなのだ。あなたが学習してきた家族状況への対処法を、たとえば大人の求愛とか、昇進をめぐる同僚との競争にまで一般化するのは、果たして意味があるだろうか。たまたま母親から何番目に生まれたということが、人生のチャレンジに取り組むときの最善の方法を予測する――そんなことはけっしてない。実際、その情報はまったく誤った予測を導きかねないのだ。ひょっとしてあなたは、家族のなかでは身体的に一番劣った子供だったかもしれない。だが、あなたが大人になってから出会う人の90パーセントについては、あなたのほうが身体的に勝っているかもしれないのだ。したがって家族内で下位のステータスにいるからといって、人生における攻撃性のレベルを調整するのは適応性があるとは言えないだろう。

こう見てくると、パーソナリティの違いへの環境的影響の存在を説明するのに、生まれ順はほとんど役に立っていないようだ。これについては、一九八三年に行われた大きな調査ですでに結論が出ていたにもかかわらず、なぜか人々はその考えを頑なに捨てようとはしない。思うにその理由は、きょうだいによってパーソナリティの評定をさせる調査で、一見それらしい生まれ順効果が見出される理由と同じであろう。パーソナリティと生まれ順について考えるとき、私たちは自分のきょうだいのことを思い浮かべる。ふりかえってみて思い出すのは、おたがいに最も記憶にのこる交流の時期、つねに自分より年上か年下で、関心を求める家族競争という状況のなかで行動していた相手のことだ。それぞれが占める家族内での位置によって、彼らは自分とはきわめて違って見えてくる。そう、たしかに彼らは違っていた。問題はその違いが、今の彼らが家族以外の状況で用いているパーソナリティの違いにつながらないということなのである。

考えるべきもうひとつの候補は、妊娠中の生理的環境である。近年ますます明らかになってきたのは、多くの種において、妊娠期の母親の状態が子供の成長、代謝、さらには大人になってからの行動にまで、かなりの影響をもちうるということである。たとえば、妊娠期間中にストレスを受けた母親から生まれたラットは、そうでない母親をもったラットよりも不安になりやすい。彼らは、新奇な、あるいは開けた環境を探索するのに臆病で、社会的にも慎重な行動をとる。対照群のラットにくらべて、まわりの環境がはるかに多くの危険に満ちているかのように行動するのだ。これが私たちの興味を引くのは、ラットのこの行動がまさに人間の神経質傾向のように見えるからである。この仕組みはつまり、妊婦の状態が──おそらくストレスホルモンのメカニズムを通じて──子が生まれ出る環境の「天気予報」の働きをしているということだろう。その「予報」によって、子の反応は、直面しようとしている世界に適応するよう調整されるのである。

いくつかの理由で、これはラットにとって良いシステムだと思われる。ラットは獲物として狙われる種である。母親のストレスはおそらく、捕食のリスクという信号を送っているのだろう（事実、いくつかの実験では、母親のストレスを引き出すのに使われたキューは猫だった）。子が母親と同じ場所で（少なくとも当初は）生きると考えれば、母親が経験する捕食のリスクは、子が経験する（だろう）捕食のリスクの良き指標となる。さらにまた捕食者の密集度は、何年か先には変動するにしても、一年か二年の間はかなり一定している。野生のラットの寿命もそのくらいである。もし環境がきわめて速く変化して、その子が大人に達するまでに「天気予報」が時代遅れになるならば、母親の環境をもとにして子の反応を永久に調整するのは無意味なはずである。

人間の神経質傾向についても、同じような効果が起こるのだろうか。夫の死、あるいは飢饉や戦争の時期などのように、深刻なストレスを経験した母親の子供には精神障害のリスクがふえるとの報告がある。ただ、たとえこれらの効果が確認されたとしても、果たしてそれが本当に子供のパーソナリティを変えているのか、それとも全体として病気のリスクをふやすなど、たんに生理的な状況を不利にしているだけなのか、今までのところはまだわかっていない。人間はラットとはきわめて違う生きものである。人間はラットよりもはるかに長く生きるし、攻撃や捕食によるリスクにもそれほど出会わない。たしかに興味深い考えではあるものの、人間の場合にも同じようなシステムが進化してきたのかどうかは明らかではない。

「天気予報」として役立つのは、母親のストレスホルモンだけではない。母親が栄養不良だったり、成長する胎児に与える栄養が不十分だったりすれば、環境の食料不足を示す指標になりうる。この考えは妥当と思われる。私たちの祖先が生きていた狩猟採集社会は、資源の再配分がきわめてさかんであった。一人の人間（子供の母親）が食料不足を経験していることから、社会全体で食料が不足しているのを予想するのは、筋が通っている。したがって、何十年間にわたり資源の入手可能性が一貫して同じだとすれば、母体の状態にもとづいて食料欠乏への準備をするのは、まさに道理にかなうというものだろう。

母親の栄養が代謝の発達に与える影響については、いくらかの科学的根拠がある。低体重であったり、飢饉の時期に生まれた赤ん坊は、小さな体と不十分な食料に適応した循環系ならびに代謝系をもって生まれる。人類の祖先の時代、いくらかの環境においてはつねに食料が不足していた。そのような状況では、これは意味があったかもしれない。だが、現代の高カロリーの食環境にあっては、そのような個体は成長するにつれて、とくに糖尿病、高血圧症、心血管系の病気のリスクを背負うことになる。さらにまた資源が乏しい場所で特定のタイプの行動が有利になるというのも、ありえない話ではない。たとえば競争が激しい状況では、少々疑い深く、また非協力的であるほうが有利かもしれないし（低い調和性）、危険の多い探索行動をする余裕はなくなるかもしれない（低い外向性）。これらはたんに推測にすぎない。だが胎児期がパーソナリティに影響するという考えは、なお一層の研究が待たれるところであり、現在も多くの研究がなされつつある。これは発生生物学の分野で、最も人気のあるテーマのひとつなのだ。だがここでひとつわからないことがある。

胎児期の環境がきわめて重要だとしたら、双子の研究において、これが共有環境の重要な効果として見えてくるのではないだろうか。当然ながら、双子は同じ時期に同じ子宮内で育っているからである。だがさきに見たように、そのような効果は見出されていない。ただし、一卵性双生児の出生時の体重が現実に異なっていることを考えれば、それぞれの胎児期の歴史は、胎内での同居生活にもかかわらずいくらか異なっている可能性はある。

この胎児期の影響という見地から、最近発表されたある興味深い事実を解釈することができる。いくつかの調査によって、パーソナリティの測定値が誕生の季節によって違うことが明らかになった。ことに秋と冬に北ヨーロッパの集団で生まれた人々は若者になってから、新奇性追求もしくは刺激追求の尺度でのスコアが、春と夏に生まれた人々より高い。新奇性追求もしくは刺激追求は、探索して報酬を求めようとする欲望にもとづいた尺度であり、おそらく外向性の系列に属する。これらの所見はまだ完全には説明されていない。

ひとつ考えられるのは、胎児期および(もしくは)出生直後の状況が、季節によって変動することである。あるフィンランドの歴史人口についての研究によると、秋と初冬に生まれた子供の生存率が最も高かった。栄養的な理由か、病気にかかりにくいためか、夏の間に妊娠して収穫期のあとに生まれた赤ん坊が最高の生存率を記録した。現代の北欧でも、秋に生れた赤ん坊は、良好な健康状態を予測させるある種の初期のキューを受け取っているのかもしれない。もし高い外向性が、良好な健康状態をもつ個体への最善の戦略ならば、これによって赤ん坊はより外向的なパーソナリティに調整されることになる。いったいそのキューとは何なのか、なぜ、現代の豊かな状況においてもなお作用しているのかについては、いまだにわかっていない。

考えられる環境的影響のうち、最後のカテゴリーをつぎに採り上げる。人の環境への反応の仕方を決定づけるきわめて重要な側面は、身体をはじめとしてその人のもつさまざまな特徴である。言葉で言えばそれだけだが、実はこれはきわめて重要な考えである。人が危険を及ぼしうるものに対してどれくらい神経質になるかは、なかばその人の足の速さや、免疫システムの質などによって左右される。人が危険な報酬を追求するかどうかは、その人物が強くて魅力的かどうかに大きくかかっている。強ければ、事がうまくいかなかったときにも対処できるだろうし、魅力的なら、社会的報酬や性的報酬を手に入れるための大きな鍵となる。同様に、ある人が問題の解決にまじめに取り組む必要があるかどうかは、その人がどれくらい明敏であるかによる。頭の回転の早い人は移動中の飛行機の中で準備してしまう。他にいくらでも例を挙げることができる。いずれにせよ、進化が私たちのなかに、それぞれの健康、知能、体格、魅力に合わせてパーソナリティを調整する能力を作り出したという考えは、きわめて道理にかなっている。

この種の影響については、いくらかの根拠がある。第一に、肉体的に均整のとれた人間はそうでない人々よりも外向性が高い。左右対称性は、きわめて重要な発達のパラメータである。それは、人が成長する間に、突然変異や環境ストレス要因によってどれほど多く、あるいは少なく影響されたかを示しているのだ。均整のとれた個体は、そうでない個体よりも傾向として健康であり、そのために他者からも明らかに魅力的だと見られる。外向性のレベルが報酬とリスクのバランスの温度自動調節器《サーモスタット》だとすれば、ある人が非常に健康で、他の人々から魅力的だと見られるとき、そのバランスが報酬側に引っ張られるのは道理にかなっている。男性では、外向性のレベルはまた、体格全体の大きさにつれて高くなる。もっともこれは、女性には当てはまらない。これもまた道理にかなっている。他者から見る魅力と望ましさは男性では身長とともにふえるが、女性では必ずしもそうではないからだ。また大きな男性は、概してやや思いやりに欠けるようである。反社会的パーソナリティ障害をもった男性もまた、どちらかというと体が大きい。これはおそらく、この障害が頻繁な規則破りや争いをともなうため、大柄な男性のほうが小柄な男性よりもはるかに有利だからであろう。

最近になって、これらの影響がどう働くのか、その道筋を解明するうえで、三人の経済学者による研究がある光を投げかけた。二つの大きなデータセットにまとめられた彼らの研究によると、身長と男性の収入との間にはプラスの関連がある。収入の増加は、外向性の典型的な帰着点である。外向型の人間は社交的であるばかりでなく、野心に富み、競争的でもあるからだ。データには、生涯のいくつかの時点における身長の計測値が記録されている。それによると、大人になってからの収入の差を生む変数は十代のころの身長の高さであった。十六歳という形成期の年齢において比較的背が高かった少年は、社交的で運動の得意な若者になり、これが恒久的に彼らをやり手になるように調整したようである。この時点を過ぎると、たとえ後期の急成長期ごろまでに背が高くなっても、何の違いも生まなかった。

観察力の鋭い読者は、つぎのように言うかもしれない。「なるほど、言っていることはよくわかった。だが、身長や魅力などは遺伝性の特徴なのだから、このタイプのパーソナリティ決定要素は変異全体の50パーセントに当たる環境部分ではなく、残りの50パーセントに当たる遺伝の部分に含まれるのではないか。」この意見は部分的には正しい。一卵性双生児が遺伝子によって身長が似ているのなら、身長によって補正される外向性についてもまた似ているはずだ。事実、パーソナリティが親から子へと伝わる主な道筋は、おそらくパーソナリティ・メカニズムそのものに影響する遺伝子変異体経由ではなく、身長や健康に関係する遺伝子変異体と、その後のパーソナリティ補正を経由していくのだろう。だが、身長や魅力などの身体的特徴は、完全に遺伝性とは言えないのである。それらはまた、子供時代の病気や事故のような、ときおり生じる環境の出来事の影響を受ける。パーソナリティの発達は、遺伝性の変異だけでなく、これらの非共有の、そして偶発的な環境的出来事の結果に合わせて補正されていく。このようにして、子供時代に遭遇したまったく予測不可能な不運な出来事が、大人になってからのパーソナリティに、長期にわたる重要な影響をもちうるのである。

この章では、パーソナリティに影響を与えるかもしれない環境要因のいくつかを採り上げ、考察してきた。他にも考えられる環境要因はあるだろう。たとえば、成長期の子供が仲間集団《ピア》のなかで占めることができるニッチは、気質メカニズムの微調整に微妙な影響を与えるだろう。それにしてもこれだけは言える。遺伝子の影響にせよ、胎児期環境の影響にせよ、出生後の環境の影響にせよ、それらはすべて、私たちが自覚した大人になるよりもずっと前から、自動的に、容赦なく、そして私たちの意志とは明らかに無関係に、それぞれの仕事を果たしてきたのである。そこで私たちは最後の問いに行き着く。人はパーソナリティを変えられるのか、それともあくまでそれを守り続けるしかないのか。

9　自分の声で歌え

影があり、光がある。生きるというのも絵画なのだよ。
――ヘンリック・イプセン『ブラン』

ここまでの考察から、いくつかのきわめてはっきりした結論が導き出された。人のパーソナリティには、（少なくとも）五つの広範な次元があるということ。それぞれの次元のどこに位置するかは人によってすべて異なり、それが私たちの行動をある特定のあり方にしていること。関心、キャリア、対人関係、ロマンティックな生活領域、さらに健康について起こることの多くは、これらの連続体のどこに位置するかによって決まるということ。人がどこに位置するかを決める要素は、脳の配線の具合であるということ。そして脳の関連部分の配線を決める決定要素は、第一に遺伝子であり、第二に人生初期に受けたさまざまな影響だということ。それに対して、私たちはどうすることもできず、どうやってもそれらをくつがえすのは不可能なようだ。このことは当然私たちに、むずかしい質問をいくつか投げかける。それではパーソナリティは変えることができないのか。人の成長を目指して努力するのは、大人が背を伸ばそうと必死になるのと同じように無意味だというのか。さらにもうひとつ、責任の問題についてはどうなのだろう。攻撃的な人間が、「やったのは私ではない。私の低い調和性のせいだ。ほとんど遺伝によるものなんだ」と主張するのを、どうやって防いだらいいのか。この本の最後にあたって、本章ではこれらの問題を取りあげることにしよう。だがその前にまず、ひとつの疑問に答えなくてはならない。実はこの問いかけこそ、他のすべての疑問の鍵となるのだ。その問いかけとはこうである――著者、すなわちこの私は、本当にこの五つのスコアだけで、私たちがどういう人間か要約できると言っているのか。

もし五因子の構造をごく単純に受け取るならば、たしかにそのように見えるだろう。確かにこれら五つの構成体は、人間行動における予測可能な個人差の大部分をとらえているようである。そしてこれに知能を加えれば、個人の行き着く人生の結果について、目下のところ最もすぐれた統計予測となる。それにしても、この論理はどこまで進めていけるのだろうか。私と同じ五因子スコアをもち、私と同じレベルの知能をもった別の人間が、私と同一であると、私は本気で言っているのだろうか。そんなのは途方もない考えではないか。むろんパーソナリティの五因子構造は、おびただしい数――尺度は連続的だから、技術的には無限となる――の異なるパーソナリティ形態を用意することができる。だが、ここでは議論のために、五つの尺度のそれぞれに沿って別々のポイントを一〇箇所、正確な測定から割り出すことができたとしよう。五つの尺度はおおむねたがいに独立しているから、考えられるパーソナリティの数は一〇の五乗、すなわち一〇万となる。一〇万のパーソナリティとは多い数だが、それでも、イギリス国内には私と同じパーソナリティをもった成人男性が他におよそ二〇〇人いるということになる。彼らが私と同じ人生を送っていると信じられるだろうか。そしてその人たちが全員、パーソナリティの五因子モデルについて本を書いているなどということが……。

もちろん、そんなことはありえない。その二〇〇人は、ランダムにサンプルにしたイギリス人たちにくらべて、私の生活と似た生活を送り、似た対人関係をもっていることだろう。だが、彼らは私と同じではない。このことは、心理学者のダン・マカダムズの考えた理論に従って説明することができる。個々の人間のもつ特異性について、彼は三つの異なるレベルから考える。第一の層は、ビッグファイブ・パーソナリティ特性スコアである。すでに見てきたように、これらは初期の生物学的メカニズムによっておおむね固定されており、おおよその予測性を与える。第二のレベルは、特徴的行動パターンである。これはビッグファイブ・パーソナリティ特性の結果から生じるものだが、一対一の対応ではない。たとえば、外向性のスコアの高い人のなかで、一人は北極探検家になり、別の一人はスカイダイビングに挑戦するかもしれない。さらにもう一人は、北極探検もスカイダイビングも試みるチャンスはなかったが、社会のなかで活気ある顔《ペルソナ》を作り上げたかもしれない。要するに外向性ひとつとっても、多くの可能な行動表現の手段があるということであり、どれを採用するかは、個人個人の歴史、チャンス、そして選択によるということなのである。ただはっきり言えるのは、もしあなたの外向性のスコアが高ければ、少なくともそのうちのひとつを採用するだろうということだ。したがってイギリス国内に存在する二〇〇人のダニエル・ネトル・パーソナリティは、まず間違いなくもって生まれた性格のはけ口として、私とは違った特徴的行動パターンを採用しているだろう。そしておそらく、彼らがやっていることは私にも魅力的に映るであろう。だが多くの場合、私自身はけっしてしないか、考えすらしないことばかりだろう。*

第三のレベルはなかでも最も特異なものであり、パーソナル・ライフストーリーと呼ばれる。これは、レベル2に関わる人生の客観的出来事ではなく、本人が自分がだれであるか、何をしているのか、なぜそれをやっているのかについて、自らに語る主観的ストーリーである。人間が物語を語る生物だというのは、疑う余地がない。私たちは全員、自らの物語を組み立てる。そしてどんな場合でも、それらの物語はたんなる客観的な行動を超えて、解釈、目的、意味、価値、そして目標へと入り込む。ここでもまた、一対多の対応がある。まったく同じ客観的出来事が無数の異なる物語へと解釈されうるのだ。キャリアでは成功しなかったものの、さまざまな経験をしてきた人間は、自分の物語を失敗と欠陥のそれとして語ることもあるだろうし、あるいはまた勝ち残り競争からの心楽しき逃走のそれとして語ることもありうる。結婚したことがない人は、自分の物語を悲劇として語ることもあれば、逆に喜劇として語ることもあるだろう。結婚というものをどのように見るかによって、すべては違ってくるのだ。例の二〇〇人のダニエル・ネトルたちもまた、たとえ全員が

＊本章の議論はMcAdams (1996, 1999) の、素質的特性、特徴的適応、そして統合されたライフストーリーという区別を参考にしている。ここでは「特徴的適応」という彼の用語を、「特徴的行動パターン」に変えた。進化論者である私にとって、「適応」はきわめて特定の意味をもつからである。

私と同じようなことをしてきたとしても、それぞれが独自のやり方で自分のなし遂げてきたことを語るだろう。そしてこの独自の物語こそが、彼らのアイデンティティに少なからぬ影響をもつのである。

この三つからなる分類法で武装して、パーソナリティを変えることは可能なのかという問題に、再び立ち向かうことにしよう。第一のレベルである特性傾向はたいして変化しない。最も外向的なティーンエイジャーは、最も外向的な成人になる。ただ、このように個人間での順位はおおむね保たれるものの、それぞれの全体から見た分布は年齢とともに穏やかな変化を経ていく。大人になり、年をとるにつれて、調和性と誠実性のスコアがやや高くなり、外向性、開放性、そして神経質傾向がやや低くなっていく。生活史の面から見て、これはきわめて納得がいく。外向性と開放性には共通の部分がある。つまり、この二つの特性の高さにともなう行動――野心、創造性、探究心、競争性――は、人に社会的ステータスと資源を手に入れさせるのだ。心理学者のジョン・ディグマンが指摘したように、それらはエージェンシー（主体と自立の働き）として役立ち、基本的に世界での成功に導く。一方、調和性と誠実性の高いレベルは、他者への関係性を増す――前者は私たちの対人関係を調和のとれたものにし、後者は私たちに規範や規則を守らせる。この二つは、コミュニオン（共同性）、つまり良き市民としての特性である。思うに私たちの祖先にとっては、今と同じく、人生初期はステータスと配偶者獲得の競争が最も高い時期であったろう。それゆえ、エージェンシーのモチベーションは最高に役立ったのである。人生が進み、繁殖を成功させるために親や祖父母の協力が重要となるにつれて、コミュニオンの必要はより大きくなる。バランスが外向性と開放性から調和性と誠実性へとシフトするのは、当然のなりゆきなのだ。

パーソナリティの第二のレベル、すなわち特徴的行動パターンでは、はるかに多くの変化が可能になってくる。たとえば、それまでオートバイを乗り回していた外向性のスコアが高い人は、理性によってそれが危険すぎると判断し、かわりに別の、刺激的だがそれほど危険でない楽しみに移ることもあるだろう。どのパーソナリティ特徴でも、考えられる表出行動はきわめて多い。人々の基本的性向は、何らかの形で表面に現れる。だが私たちには、その現れ方を決めるための能力が少なからずあるのだ。もしあなたにとって、自分のパーソナリティが厄介と苦労の種になっているのならば、その特徴を表に出す際に、もっと破壊的でないはけ口を見つける必要がある。自分自身を変える必要はない。ただ、はけ口を変えるだけでよいのだ。

行動の表出は、「回転《スピン》に合わせて」行われるのと同じように、「回転に逆らって」行われることもある。この用語はクリケット競技からきている。クリケットでは、しばしばボールを左右いずれかに鋭く回転させて投げることがある。これが、打者に二つの選択肢を与える。ボールが打者の右手から左手に向けて回転しているとしよう。これに対し、バットを右から左に向けて振れば、ボールの回転する勢いをとらえて、すでに向かっている方向に送ることができる。これには、ボールの現在の力と弾道が利用できるという利点がある。もうひとつの選択肢は、ボールの回転に逆らって打つことだ。つまりボールの左手からバットをもっていき、自然の弾道にもっと大きな逆の力を与えることで、ボールがきた方向に送り返すのである。

パーソナリティの行動表出についても、同じことが言える。アルコール依存症更正プログラムをやっている人々は、酒を制限しない。完全に酒を絶つのだ。二、三杯なら……というわけにはいかないのである。その理由は、これまでの自制のきかない飲酒癖が示しているように、彼らの誠実性の低さによる。彼らはよく知っている――いったん飲み始めたら最後、自分のパーソナリティはそれを止められない。だからこそ彼らは、そもそも飲み始める状況に自分を置かないのである。以前の過度の飲酒は、彼らの低い誠実性パーソナリティが「回転に合わせて」表出したためであった。今の完全な断酒は、同じパーソナリティの「回転に逆らった」表出である。どちらの行動も、いったん始めたら自分を抑えられないという同じパーソナリティの反映なのである。

「回転に逆らった」行動は、きわめて広範に見られる。たとえば、一緒にいることで自分の最悪の部分が引き出されるようなある種の人々を避けるというのも、そのひとつだ。自分の気に入らないパーソナリティの局面が出てくるような状況から、あえて離れていることもできるし、ピアノの練習を終えるまでは外出するのを自分に禁ずることもできる。あえて仕事を引き受けて、人々と会わざるをえない状況に自分を追い込むこともできる。行動パターンを変えることによって自分のあり方を変えるというのは、容易なことではない。そのためには脳の意識的な実行機能を使って、心の深いところにある、きわめて強力で、しばしば無意識のメカニズムと衝動をくつがえし、あるいは取り消す必要さえある。これは骨の折れる、また、熟慮を要する作業であり、しかも成功の保証はまったくない。行動パターンによっては、簡単に変えたり避けたりできるものもあるが、どうしようもないほど変えるのがむずかしいパターンもある。それにもかかわらず、自分たちの性向を「回転に合わせて」表出する方法を選ぶか、あえて「回転に逆らった」表出を作り出すかの間で、私たちにはある程度の個人的自由を手にすることになる――今の自分とこれからの自分を形成するうえで。

私たちがはるかに大きな自由をもつのは、自分をどう見るかという点である。第三のレベル、すなわち主観的なライフ・ストーリーでは、気質的な要素の制約はほんのわずかしかなく、実際に客観的事実による抑制もあまりきいていないからである。たとえば、あなたに今ほとんど金がないとして、これを欠陥と見るか美徳ととるかは、かなりの程度まであなた次第である。あなたは、自分に金がないことの意味をさまざまに解釈することができる。このように、何かを客観的に変えることがむずかしい場合でも、少なくとも、それについての考え方は変えることができるのである。

そのような再構成は、サイコセラピーでも、またもちろん個人の成長においても、きわめて重要である。ただし、それは必ずしも簡単ではない。ことに高い神経質傾向はここでも制約となる。この特性が高い人は、きわめて多くの悪いことを自分の身に引き寄せる傾向があるのだが、それより問題なのは、彼らには自分について肯定的なストーリーを語るのがむずかしいことだ。客観的に見て彼らの人生が肯定的な要素を多く含んでいる場合でさえ、そうなのである。彼らがネガティブな自己イメージや他者との比較を克服するには、しばしば何年もの苦しい努力と、認知行動療法のようなサポートが必要となる。このように自分について良いストーリーを語ることが最も必要なはずの人が、一番それに苦労しているというのは残酷なことだ。逆に一番必要のない人のほうは、何とかやりこなしているのだから。

ここまでで明らかになったように、もしあなたが自分とそのあり方に満足していないならば、とるべきステップはいくつかある。第一に、自分がなし遂げてきた事柄について、別のストーリーを語れるかということだ。もしあなたが家族のなかの厄介者で、これまでずっと何ごとにも身を入れることがなかったとしたら、きょうだいたちと比較して劣等感を感じているかもしれない。だが、なぜそう考えるのか。なぜそれを、因習に媚びることなく、若いときの理想のままに、豊かで自発的な人生を送ってきた証拠だと考え、自分というものに価値を認めないのか。私たちはすべて、自分たちのあるべき姿や理由について、役に立たない時代遅れの概念を引きずっている。だがそうした概念は、ときどき立ち止まって振り捨てなくてはならない。したがって、第一のステップはストーリーの再構成ということになる。

ただし、物語を再構成するだけでは十分ではない。表出行動のなかには、道徳的、法的、あるいは金銭的などの理由で、現実に悪いものがあるからだ。たとえば低い誠実性のせいで、賭博で大金を失ったり、投獄されたり、あるいはあなたにとって大事な人間関係を失ったとしたらどうだろう。これを学習経験としてプラスに再構成するというのは、やはり少々甘すぎるだろう。あなたは行動を変える必要がある。したがって第二のステップは、これまで追求してきた事柄に代わる、同も同じ誠実性でも別の、そしてもっと良い「回転《スピン》に合わせた」行動表出があるかを問うことであろう。あなたがもつ自発性と、起きている事柄にダイナミックに反応する能力——これらを必要とする仕事はないだろうか。あなたの時間とエネルギーをもっと有効に使うために、臨機応変に働く頭脳を生かせるボランティア活動を探したらどうだろうか。それに加えてあなたは、自分の低い誠実性を「回転に逆らって」表出するように努力すべきかもしれない。たとえば毎朝決まった日課を自分に強制的に課すとか、トラブルが起こりそうな場所に行くことを自分に禁ずるとかである。

読者のなかで、自分のパーソナリティの働きに不満を感じている人がいるならば、その理由の多くは神経質傾向が高いことにあるのではないだろうか。高い神経質傾向は、あらゆることに苦しみを吹き込むからだ。他の極端なパーソナリティ特性——たとえば低い調和性など——も、人生にきわめて強い具体的な影響をもたらす。だがそうであっても、彼らの神経質傾向が低ければ、ただ肩をすくめてやりすごすだけで、神経質傾向の高い人のように、気にかけたり悩んだりしない。もちろんこれが神経質傾向の本質——ネガティブな情動への脆さ——なのである。そんなものからは逃れたいと思うかもしれないが、その前に踏みとどまって、第4章の最後で述べたようにそれがもつ利点を考えるべきである。それにしても、神経質傾向が何百万人もの人々に、一生続くすさまじい苦痛——カーテンやドアの陰に隠された秘密の苦痛——を引き起こしているのは、疑う余地がない。それだからこそ、ネガティブな情動に屈するだけではなく、「回転に逆らった」表出戦略を展開することが明らかに必要なのである。

幸いにもそのような戦略は存在しており、しかも実際にかなり効果的である。エクササイズ、ヨガ、瞑想から、認知行動セラピー、さらには抗うつ薬や抗不安性薬剤に至るまでさまざまな戦略があり、それぞれ働き方に違いがある。エクササイズは気晴らしになり、身体を緊張から解きほぐす。瞑想は本人の意識を高め、ネガティブな考えを受け入れるように導く。逆に認知行動セラピーは、理性を使うように仕向ける。また薬物療法は、セロトニンシステムに生化学的サポートを与える。これらの戦略は神経質傾向を減らすのではなく、神経質傾向が作り出す問題のいくつかと、もっと効果的に取り組めるようにするものだ。人によって効果のある戦略は違うが、いま挙げたものだけでなく、あらゆる選択肢を真剣に試してみるのは、けっして恥ずかしいことでも不名誉なことでもない。それは自分自身に対する義務である。

したがって、もし私たちがこれまでとは違った自分になりたいと思うならば、逃げ込む場所はかなりたくさんある。それと同時に、私たちはまた少なからぬ責任をもつ。自分が選んだものではない気質的特性については、むろんだれからも責任を問われることはないけれども、それらの特性の表出として自分が発達させてきた行動パターンについては、道徳的にも法的にも責任がある。すべての特性の表出行動には、道徳的に良いもの、中立のもの、悪いものがある。そして私たちには少なくとも、道徳的に中立である行動を発達させる責任があるのだ。

本書のポジティブなメッセージとは、自分の基本的なパーソナリティの傾向が今と違っていてほしいと願う理由など、まったくないということである。これまで私が一貫して論じてきたのは、すべてのビッグファイブ次元においてどのレベルにも利益不利益があるということであった。こちらのほうが本来的に良いとか悪いとかいったパーソナリティ・プロフィールなどというものはないのである(「中間の」レベルというのも同じである。私の見解では、これにはとくに何の利点もない)。大切なのはむしろ、自分がたまたま受け継いできたパーソナリティ・プロフィールの強みを利用し、弱点からくる影響をできるだけ小さくすることによって、実り豊かな表出を見つけだすことなのだ。このように見るならば、個人のもつ性格とは利用されるべき資源であって、なくなってほしい災いではない。つぎに二、三例を挙げて説明してみよう。

たとえばあなたが、道徳的かつ論理的見地から考えた結果、自分の時間を捧げる対象として、地球温暖化の意識を高めることが最も大切だという結論に達したとしよう。問題は、あなたの外向性が低く、神経質傾向が高いことである。つまりあなたは、とうてい演壇の上で聴衆に向かって呼びかけたり、あるいはメディアを通じて人々を説得する仕事に向いていないのである。その種のキャンペーンには、大衆の想像力を捉えるカリスマ的指導者や話し手が必要なのだ。なんとか頑張ってやろうとしてもうまくいかず、あなたは挫折した気分に襲われる。では、どうするか。あきらめて他のことをするべきだろうか。どうやったら、自分の価値観が命ずることと、自分がもつパーソナリティとを一致させることができるだろうか。

現代のすべての複合的な活動と同じく、地球温暖化キャンペーンもまた、多くの面をもっている。必要とされるのは、表に向けるカリスマの顔だけではない。舞台裏で、気候の変動に関する最新の科学的研究を集め、批判の目で査定するためのリサーチワークもまた必要なのだ。ここにあなたの出番がある。自分では気に入らないその内向的性格ゆえに、図書館で静かに資料に向かい、科学的裏付けをとる作業に一日を過ごすのを心から楽しめるのだ。大勢の人の前であなたをナーバスにするその神経質傾向こそが、研究のこまごました統計データや方法論を相手に粘り強く取り組むためには理想的なのである。この種の不可欠な仕事は、キャンペーンのスターには絶対に無理だろう。あなたが羨む彼らの高い外向性と低い神経質傾向がそれを阻むからだ。ここにあなたが赴くべきニッチがある。要するに、自分に向いていないことに、時間とエネルギーを浪費しないことである。正しいニッチにいさえすれば、キャンペーンで働く他の人々はあなたを必要とするだろう。そしてあなたが彼らを評価するように、彼らもまたあなたを高く評価するだろう。

もうひとつの例を取ろう。個人的な経験から、あなたは若者たちを助けるために何かをやりたいと思うようになったとする。近年、きわめて多くの若者たちが、うつや、自傷の衝動に苦しんでいる。その状況を何とかしたいと、あなたは思う。問題はあなたの調和性が低いことだ。これではボランティアやプロのカウンセラーの仕事は向いていない。理性ではそれが重要だとわかっていても、あなたにはどれも単調で退屈で面倒くさいと映るだろう。たとえそうであっても、あなたの低い調和性は、若者を助けるために役立てることができる。あなたにはタフな決定をする実際的なまとめ役が向いているのだ。さまざまなボランティア・プロジェクトや若者たちのチャリティ・プログラムは、善意はあっても非能率的な人々であふれている。そんな彼らには、組織を合理的に率いて行動に導くことはむずかしい。組織のコストを下げ、収益を上げるために、あなたのような人の存在は大きな力となるだろう。あまり有能でないカウンセラーとして働くよりも、組織の側で働くほうが、長期的にははるかにあなたの目的に合うはずだ。たくさんの友人は作れないかもしれない。だが望んだことはかなえられるだろう。

私たちはすべて、複合的に入り組んだ社会のネットワークにはめこまれている。家族、コミュニティ、そして組織……そのどれもがさまざまに専門化した多くのニッチを供給してくれる。大人のあなたが信念としてもつようになった目的や価値が何であれ、正しいニッチを選ぶかぎりは、自分のパーソナリティ傾向と調和しながらそれを実践して生きる方法がある。これまで何かに取り組んできて、一度として心が落ち着くことがなかったのであれば、ひょっとして自分にあったニッチを目指していなかったのかもしれない。家族や文化、あるいは時代に評価されるようなニッチはもう要らない。そうしたプレッシャーに対して、あなたは敢然と立ち向かう覚悟をもつべきだ。現代の豊かな社会では、提供される社会的役割やライフスタイルはきわめて多様である。社会にはおびただしい人々を押し込むスペースがある――ワーカホリック、家事労働者、親、庭師、あるいは道化、さらには資金調達者、科学者、そして奉仕者……。リストは際限なくつづく。かつての社会はこれほど多様な人々の枠を支えることができなかった。今では、あなたのもつ特性がそのまま有利になるような適所を見出すことは、これまでにないほど可能なはずである。

だがその一方で、落とし穴にはまる危険もある。その手のニッチは世の中におびただしい。薬物依存症者や犯罪者のためのニッチ、世界が自分なしで動いていくのを横目に見ながら一人孤立して苦しむ人々のためのニッチ、そしてなかでも、自分が何のために生きているのかを見出せないまま、形だけの人生を生きる人々のためのニッチ……。自分にふさわしい良いニッチを探し出すとともに、間違ったニッチを避けるために、心を砕かなければならない。私たちにはそのための自由と力と、そして責任がある。そのことは同時に、ある種の選択に必然的にともなうコストを理解することでもある。あなたが外向性と開放性において高いスコアをもつのであれば、自己を押し出し自己の利益を追求する主体性《エージェンシー》の能力には問題がないだろう。だがコミュニオン、つまり他の人々との交流については、おろそかになるかもしれない。あなたが高い調和性をもっているならば、無意識にコミュニオンタイプの行動をするだろう。だが、果たして個人としての自分を十分に出しているだろうか。人生においてしばしば私たちは、「回転に逆らった」適応を必要とするかもしれない——自分のパーソナリティが不得手な事柄に意識的に気を配るために。

いま述べたことのいずれも、あなたのパーソナリティを変えると言っているわけではない。これが意味するのは、パーソナリティが結果的に何を引き起こすかを理解し、その情報を使って賢い選択をするということだ。そのためには多くのことが必要とされる。自己を知るというのもそのひとつだ。自己認識というこの貴重な財産を自分のものにするうえで、本書が少しでも役に立ったとすれば、私がこれを書いた目的は達せられたことになる。

付録
ニューカッスル・パーソナリティ評定尺度表

この簡単な質問紙でビッグファイブ・パーソナリティ次元の自己評定ができます。次のページ、12項目の行動や考え方が記されています。それぞれについて、当てはまると思う度合にチェックしてください。

	きわめて当てはまる	やや当てはまる	どちらでもない	やや当てはまらない	きわめて当てはまらない	スコア
1　知らない人とすぐ話ができる						
2　人が快適で幸せかどうか気にかかる						
3　絵画等の制作、著述、音楽を作る						
4　かなり前から準備する						
5　落ち込んだり憂鬱になったりする						
6　パーティや社交イベントを企画する						
7　人を侮辱する						
8　哲学的、精神的な問題を考える						
9　ものごとの整理ができない						
10　ストレスを感じたり不安になったりする						
11　むずかしい言葉を使う						
12　他の人の気持ちを思いやる						

それぞれの答について、左記の基準に従ってスコアを書き入れてください。

7番と9番以外の全項目

きわめて当てはまらない＝1
やや当てはまらない＝2
どちらでもない＝3
やや当てはまる＝4
きわめて当てはまる＝5

7番と9番の項目

きわめて当てはまらない＝5
やや当てはまらない＝4
どちらでもない＝3
やや当てはまる＝2
きわめて当てはまる＝1

次に、各項目についてのあなたのスコアを表中の指示に従って計算し、ビッグファイブパーソナリティ次元のそれぞれの欄に書き入れてください。

次元	計算	スコア	解釈
外向性	質問1＋6		
神経質傾向	質問5＋10		
誠実性	質問4＋9		
調和性	質問2＋7＋12		
（経験への）開放性	質問3＋8＋11		

次のガイドラインに従ってあなたのスコアを解釈します。
・外向性、神経質傾向、誠実性については――
2、3、4……低
5、6……中間―低
7、8……中間―高
9、10……高
・調和性については――
男女全体では、
10以下……低
11、12……中間―低
13……中間―高
14、15……高
だがスコアにはかなりの性差が見られるので、
男性では、
9以下……低
10、11……中間―低
12、13……中間―高

14、15……………高

女性では、

11以下……………低

12、13……………中間―低

14……………中間―高

15……………比較的高

女性の16％、男性の約4％が最大の15のスコアをとる。

・開放性については――

8以下……………低

9、10……………中間―低

11、12……………中間―高

13、14、15……………高

質問紙と評定基準について

ニューカッスル・パーソナリティ評定尺度表（NPA）は、最近開発されたビッグファイブ評定のためのきわめて簡便な手段の一つである。これらの評定インスツルメントの作成者は、きわめて少ない数の項目でも注意深く選んだものを使うならば、伝統的に使われてきた長い質問表から引き出される結果ときわめて相関度の高いスコアがもたらされることを見出した。したがってたとえ少数の項目ではあっても、これらの簡便な質問表によって得られるスコアはきわめて多くの情報を与えてくれる。

ニューカッスル・パーソナリティ評定尺度表は、多数の成人からなるオンラインサンプルに26の候補項目プールと、インターナショナルパーソナリティ項目プール（IPIP International Personality Item Pool）からの50項目からなる五因子モデル質問表、そのほかいくつかの他の尺度を与え、それらに答えてもらうことによって、作られた。このIPIP尺度は、有効性が実証された五因子質問表である。サンプル人員の募集は、心理学リサーチウェブサイトと、地域フォーラムでのボランティアへのよびかけを通じて行われた。サンプルは563名（169名が男性、394人が女性）で、平均年齢は34・87歳だった（標準偏差13・17、範囲16〜80）。NPAの項目は、IPIPスコアとの相関に基づいて選択された。二つのケースでは私の作った項目では満足がいかなかったため、IPIP質問表からの項目を修正フォームとして採用している。それぞれのパーソナリティ次元は、IPIPスコアの0・7以上の相関になるように、またスコアが妥当な散らばり方をするように、二つか三つの項目で表された。NPAスコアとIPIPスコアの間の相関は、次の通りである——外向性0・77、神経質傾向0・82、誠実性0・77、調和性0・74、開放性0・74。それぞれの次元のためのさまざまな項目はすべて、おたがいに有意に相関する。評定基準のために、分布はほぼ四分位数にグループ分けしている。「低」は集団のほぼ最下位

25%に当たり、「中間—低」はその次の25%となる。以下同様である。

NPAはコピーして使っていただいても構わない。ただ、時間が許す場合は、IPIP質問表のような、長いリストからなる質問表を使うほうが好ましい（私がIPIPを薦めるのは、これがきわめて自由に一般の利用に供されているからである）。<http://ipip.ori.org/ipip/>

訳者あとがき

本書の原題は *Personality: What makes you the way you are* (Oxford Univ. Press, 2007)、あえて訳すとすれば『パーソナリティ——人をその人らしくするもの』となるだろうか。人の行動の仕方には一生を通じて安定して見られる特徴があり、それを私たちはパーソナリティと呼ぶ。果たしてそれは私たちに押しつけられたものか、それとも変えられるものか。私たちにとって最高のパーソナリティとはどういうものか。そもそもなぜ個人間でこれほどパーソナリティの違いがあるのか。心理学はこれらの疑問に答えてくれているだろうか。

最近までパーソナリティ心理学は、心理学の他の分野にくらべて、どちらかというと低いステータスに甘んじていた。科学的裏づけはお粗末なうえ、内部ではさまざまに議論が分かれ、「ハード・サイエンス」としての心理学の最先端からはるかに遠いところに位置づけられていた……だが、状況は変わった。現在、パーソナリティ研究においてはルネッサンスが進行中である。私の願いは、この本がそのルネッサンスを世に知らしめるさきがけとなることである。（はじめに）

このルネッサンスをもたらした理由として著者が挙げているのは、まず第一に、これまでのさまざまな性格理論が、新しいパーソナリティ概念モデル――ビッグファイブ――に統合されたこと、つぎに脳画像診断テクニックをはじめとする脳神経学の進歩、遺伝学・ゲノム学の躍進、そして進化論的思考の拡がりである。この本はこれらの科学の最新の研究成果から、ビッグファイブの五つのパーソナリティ次元のそれぞれの基盤となる脳のコアメカニズムを探り、パーソナリティの変異をもたらした進化の長い歴史とその影響について考察を試みたものである。

ビッグファイブの基本的な考え方は、パーソナリティには、外向性・神経質傾向・誠実性・調和性・開放性の五つの次元があり、すべての人はそれぞれの次元に沿ってさまざまにレベルが異なるというものである（222ページ　表4参照）。それらのレベルは、簡単な質問紙によって「計測」可能であり、五つの次元に対応した五つのスコアが、各人のパーソナリティ評定となる。

ところで本書の巻末には、読者がそれぞれのパーソナリティ・スコアを出してから内容に入っていけるように、著者の開発した簡便な「ニューカッスル・パーソナリティ評定尺度表」が掲げられている。実を言えば、はじめてそれを見たとき、私は首をひねった――果たしてこんな簡単なもので自分のパーソナリティを知ることができるのか。著者もその懸念は承知しているようだ。外向性と結婚生活の成り行き、誠実性と死亡の公算（なんと誠実性のスコアが低いほうが死亡の公算は高いのである）の相関についての部分で、著者はこう述べている。

誰にとっても、生きること、そして満足のいくパートナーをもつことは、経験の面からも進化の見地からも、人生のきわめて重要な要素である。せいぜい一〇分で終わる質問紙に答え、その評定尺度によってそれが予測されるのであれば、たとえ不完全であっても、私たちは姿勢を正してそれに向かわなくてはならない。人間の生活が不合理で予測のつかない複雑さに満ちている以上、それらの尺度が何らかの予測的価値をもちうるという事実を直視し、なぜそうなるのかを理解しようと努めるべきである。本書の関心もまさにそれなのだ。（43ページ）

本書の著者ダニエル・ネトルは、イギリスのニューカッスル大学生物心理学部准教授。文化人類学、進化心理学の立場から、人間の本質、文化、家族、言語、とくにその多様性についての啓発的な著書が多い。本書も例外ではない。パーソナリティの科学を旅して、最後に読者が案内されるのは「自分の声で歌」うための足がかりである。本書全体を通じて著者が強調しているのは、私たちにとって最高のパーソナリティなどというものはないということだ。どの特性レベルにも利益と不利益がある。個人の性格は変えられない——それは遺伝によって脳に「配線」されているからだ。

だが、それをどのように表出するか（その強みを生かせるかどうか）は、私たちの自由に任されている。良識と科学のこのバランスが、現実の人々によるライフストーリーの引用とあいまって、この本をきわめて人間的な洞察に満ちた読み物にしている。

翻訳にあたっては、多くの方々にお世話になった。長谷部文孝、マルコ・ゴッタルドの両氏には、訳出作業を通じて一貫して助けられた。白揚社編集部の鷹尾和彦、上原弘二のおふたりには、細部にわたって適切な指摘と助言をいただいた。あらためて感謝する次第である。

二〇〇九年八月十日

竹内和世

マ

ヤ・ラ

サ

索引

著者紹介

ダニエル・ネトル［Daniel Nettle］

英国ニューカッスル大学生物心理学部准教授。心理学と人類学の学位を取得している。*Happiness: The Science Behind Your Smile*（山岡万里子訳『目からウロコの幸福学』 オープンナレッジ）、*Strong Imagination: Madness, Creativity and Human Nature*, *Vanishing Voices: The Extinction of the World's Languages*（島村宣男訳『消えゆく言語たち』 新曜社）など人間と文化のさまざまな面について論じた多数の著書がある。

訳者紹介

竹内和世［たけうち・かずよ］

東京外国語大学スペイン科卒業後、社団法人ラテン・アメリカ協会研究部に勤務。訳書に『ドッグ・ウォッチング』（D. モリス　平凡社）、『TREE（ツリー）』（C. W. ニコル　徳間書店）、『航海と探検の世界史』（M. C. ドミンゴ　原書房）、『ビーグル号の３人』（R. L. マークス　白揚社）、『女海賊大全』（J. スタンリー　東洋書林）、『わたしは多重人格だった』（J. F. ケイシー　白揚社）、『欲望について』（W. B. アーヴァイン　白揚社）他。

PERSONALITY : What Makes You the Way You Are was originally published in English in 2007. This translation is published by arrangement with Oxford University Presss.

ISBN 978－4－8269－9045－5

パーソナリティを科学《かがく》する

二〇〇九年 九月 三十日 第一版第一刷発行
二〇二一年十二月二十八日 第一版第八刷発行

著　者　ダニエル・ネトル
訳　者　竹内和世
発行者　中村幸慈
発行所　株式会社　白揚社　
東京都千代田区神田駿河台一－七　郵便番号一〇一－〇〇六二
電話＝(03)五二八一－九七七二　振替〇〇一三〇－一－二五四〇〇
装　幀　岩崎寿文
印刷所　中央印刷株式会社
製本所　株式会社　ブックアート